FILIPENSES

A alegria triunfante no meio das provas

Hernandes Dias Lopes

FILIPENSES

A alegria triunfante no meio das provas

1ª edição: maio de 2007
11ª reimpressão: janeiro de 2022

REVISÃO
João Guimarães
Josemar de Souza Pinto

CAPA
Souto Design (layout)
Atis Design (adaptação)

EDITOR
Aldo Menezes

COORDENADOR DE PRODUÇÃO
Mauro Terrengui

IMPRESSÃO E ACABAMENTO
Imprensa da Fé

EDITORA HAGNOS LTDA.
Av. Jacinto Júlio, 27
04815-160 — São Paulo, SP
Tel.: (11) 5668-5668

E-mail: hagnos@hagnos.com.br
Home page: www.hagnos.com.br

Editora associada à:

Dados Internacionais de Catalogação na Publicação (CIP)
(Câmara Brasileira do Livro, SP, Brasil)

Lopes, Hernandes Dias
Filipenses: a alegria triunfante no meio das provas / Hernandes Dias Lopes. — São Paulo: Hagnos, 2007. — (Comentários Expositivos Hagnos).

ISBN 978-85-7742-007-0

1. Bíblia. NT - Filipenses - Crítica e interpretação I. Título. II. Série

07-2458 CDD-227.606

Índices para catálogo sistemático:
1. Carta aos Filipenses: Epístolas de Paulo: Interpretação e crítica 227.606

Dedicatória

Dedico este livro ao querido irmão presbítero dr. Carlos Alberto Emerich Gomes e à sua querida esposa, Rosemary. Este casal tem sido bálsamo de Deus para minha vida e família; são amigos mais achegados que irmãos.

Sumário

Prefácio

Em muitos aspectos, a Carta aos Filipenses é a mais bela carta de Paulo, repleta de ternura, gratidão, calor e afeição. Seu estilo é espontâneo, pessoal e informal. Filipenses apresenta-nos um diário íntimo das próprias experiências de Paulo. Esta carta foi escrita em circunstâncias difíceis, enquanto o grande apóstolo estava prisioneiro.

A nota dominante em toda a carta é a alegria triunfante. Paulo, embora fosse um prisioneiro, era muito feliz, e incentivava e ainda incentiva seus leitores para sempre se regozijarem em Cristo. A alegria apresentada em Filipenses envolve uma ardente expectativa da iminente volta de Cristo. O fato de essa expectativa ser dominante no pensamento de Paulo é observado em suas cinco referências à volta de Cristo, e em cada referência há uma nota de alegria (1.6,10; 2.16; 3.20; 4.5).

Também observamos que Paulo demonstra a importância dos relacionamentos que deve haver entre os irmãos, trazendo a visão dos efeitos que esta união vital dos membros traz à Igreja.

Ao fim da epistola, Paulo diz: "Tudo posso naquele que me fortalece" (4.13). Não é uma declaração de pensamento positivo. O que Paulo estava dizendo é que foi capacitado por Deus para passar por qualquer situação, fosse de abundância ou escassez, de humilhação ou honra, de fartura ou fome. Certamente, o obreiro de Deus precisa estar pronto para tudo isso e não apenas alegrando-se com as riquezas ou abundância.

A Carta aos Filipenses é uma carta ética e prática em sua ênfase e está centralizada em Jesus. Para Paulo, Cristo era mais do que um exemplo, Ele era a sua própria vida.

Em tempos de tantas aflições e tristezas, de desajustes nos relacionamentos, este livro vem preencher uma necessidade urgente de nossa vida e de nossas igrejas, onde a alegria e os bons relacionamentos precisam ser visíveis por todos.

Recomendo a leitura deste livro, pois ele será útil para a maturidade cristã de todos que o lerem, com conseqüências maravilhosas para a vida das igrejas.

Pb. Haroldo Peyneau
Secretário Geral do Trabalho Masculino
da Igreja Presbiteriana do Brasil

Introdução

A organização da primeira igreja cristã da Europa

(Atos 16.6-40)

ANTES DE EXPOR A CARTA DE Paulo aos Filipenses, precisamos analisar a plantação dessa igreja. De todas as igrejas que Paulo plantou, essa foi a mais ligada ao apóstolo e a que nasceu num parto de mais profunda dor.

À guisa de introdução, precisamos enfatizar dois pontos:

Em primeiro lugar, *o programa missionário da Igreja deve ser conduzido pelo céu, e não pela terra.* O apóstolo Paulo estava a caminho da sua segunda viagem missionária, com Silas, Timóteo e Lucas, com o propósito de abrir novos campos e plantar novas igrejas. Paulo tinha um plano ousado para evangelizar a Ásia, mas aprouve a Deus mudar o rumo da sua jornada e direcioná-lo para a Europa. A agenda missionária da Igreja deve ser dirigida por Deus, e não pelos obreiros; deve ser definida no céu, e não na terra. Paulo abriu mão do seu projeto e abraçou o projeto de Deus, e a Igreja entrou na Europa.

Em segundo lugar, *a porta que Deus abre nem sempre nos conduz por um caminho fácil, porém nos conduz para um destino vitorioso.* Deu apontou o caminho missionário para onde os plantadores deveriam ir, deu-lhes sucesso na missão, mas não sem dor, sem sofrimento ou sem sangue. O sofrimento não é incompatível com o sucesso da obra. Muitas vezes, o solo fértil da evangelização é regado pelas lágrimas, suor e sangue daqueles que proclamam as boas-novas do evangelho.

Paulo e Silas foram açoitados e presos em Filipos, mas o mesmo Deus que abriu o coração de Lídia também abriu as portas da cadeia, libertando os Seus servos.

Vejamos alguns pontos principais do texto em tela:

Filipos, a porta de entrada do evangelho na Europa

A entrada de Paulo na Europa, por orientação divina, foi um divisor de águas na história do mundo. Foi uma decisão insondável e soberana de Deus de direcionar a obra missionária para o Ocidente, e não para o Oriente. A história das civilizações ocidentais foi decisivamente influenciada por essa escolha divina. Até hoje, algumas nações orientais estão imersas em trevas enquanto o Ocidente foi bafejado por essa mensagem bendita desde priscas eras.

O desejo de Paulo era entrar na Ásia. Sua agenda missionária o levava para outras paragens. Contudo, Deus o redirecionou, mudou a sua agenda, a sua rota, o seu itinerário, e, assim, a Europa, e não a Ásia, tornou-se o palco dessa grande empreitada evangelizadora de Paulo. Esta foi a primeira e principal penetração do evangelho em território gentio.

A importância estratégica da cidade de Filipos para se plantar uma igreja

Três fatos auspiciosos nos chamam a atenção:

Em primeiro lugar, *a importância dos melhores métodos para alcançar os melhores resultados.* Deus apontou o rumo, deu a mensagem, e Paulo adotou os melhores métodos. Paulo era um homem que enxergava sobre os ombros de gigantes. Ele tinha a visão do farol alto. Era um missionário estratégico. Ele era íntegro e também relevante. Jamais ousou mudar a mensagem, mas sempre teve coragem para usar os melhores métodos.

Paulo se concentrava em lugares estratégicos. Ele era um plantador de igrejas que tinha critérios claros para fazer investimentos. Passava apressado em determinadas regiões e se fixava em outras, e isso não aleatoriamente. Ele buscava sempre alcançar cidades estratégicas que pudessem irradiar a mensagem do evangelho. Não foi por acaso que Paulo se deteve em Filipos para ali plantar a primeira igreja da Europa.

Em segundo lugar, *a localização geográfica da cidade de Filipos.* Filipos era uma cidade estratégica pela sua geografia. Ela ficava entre o Oriente e o Ocidente. Era a ponte de conexão entre dois continentes. William Barclay diz que Filipe da Macedônia fundou a cidade, que levava seu nome por uma razão muito particular. Em toda a Europa, não existia um lugar mais estratégico. Há aqui uma cadeia montanhosa que divide a Europa da Ásia, o Oriente do Ocidente. Assim, Filipos dominava a rota da Ásia à Europa.

Filipe fundou essa cidade para dominar a rota do Oriente ao Ocidente.[1] Alcançar Filipos era abrir caminhos para a evangelização de outras nações. A evangelização e a plantação de novas igrejas exigem cuidado, critério e planejamento. Precisamos usar de forma mais racional e inteligente os obreiros de Deus e os recursos de Deus.

A cidade de Filipos era chamada de Krenides, *fontes,* um lugar com abundantes fontes e ribeiros, cujo solo era fértil e rico em prata e ouro, explorados desde a antiga época dos fenícios. Mesmo que na época de Paulo essas minas já estivessem exauridas, isso fez da cidade um importante centro comercial do mundo antigo, atraindo, assim, pessoas de diversas partes do mundo.[2]

Em terceiro lugar, *a importância histórica da cidade de Filipos.* Vários fatores históricos importantes podem ser aqui destacados:

O fundador da cidade. Filipos era o cenário de importantes acontecimentos, mundialmente conhecidos. Essa cidade foi fundada por Filipe, pai do grande imperador Alexandre Magno, de quem recebeu o nome. Filipe da Macedônia tomou a cidade dos tracianos por volta do ano 360 a.C.[3]

A fundamental batalha travada na cidade. Filipos foi palco de uma das mais importantes batalhas travadas em toda a história do Império Romano, quando o exército leal ao imperador assassinado Júlio César lutou sob o comando de Otávio (mais tarde o imperador Augusto) e Marco Antônio e derrotou as forças rebeldes de Brutus e Cassius. Foi por causa deste auspicioso acontecimento que a dignidade de colônia foi conferida à cidade de Filipos.[4] Os destinos do império foram decididos nessa cidade.

Filipos é feita colônia romana. Filipos foi elevada à honrada posição de colônia romana. Essas colônias eram instituições admiráveis. Tinham grande importância militar. Havia em Roma o costume de enviar grupos de soldados veteranos que cumpriam seu período de trabalho militar e mereciam a cidadania; estes eram levados a centros estratégicos de rotas importantes. Essas colônias eram os pontos focais dos caminhos do grande império. Os caminhos eram traçados de tal maneira que podiam enviar reforços, com toda rapidez, de uma colônia a outra, as quais se estabeleciam para salvaguardar a paz e dominar os centros estratégicos mais distantes do vasto Império Romano.[5] Filipos tornou-se uma espécie de Roma em miniatura. O imperador Augusto, ao conferir o *ius Italicum* a Filipos, proporcionou a seus cidadãos os mesmos privilégios daqueles que viviam na Itália, ou seja, o privilégio de propriedade, transferência de terras, pagamento de taxas, administração e lei.[6] Nessas colônias, se falava o idioma de Roma, se usavam vestimentas romanas, se observavam os costumes romanos. Seus magistrados tinham títulos romanos e realizavam as mesmas cerimônias praticadas em Roma. Eram partes de Roma, miniaturas da cidade de Roma.[7]

O poder do evangelho na formação da igreja de Filipos

J. A. Motyer diz que a plantação da igreja de Filipos mostra três coisas importantes: do ponto de vista humano, a igreja nasceu com oração, pregação e compromisso sacrificial com a obra de Deus. Do outro ponto de vista, a plantação da igreja é uma obra de Deus. É Deus quem abre o coração, liberta o cativo e abre as portas da prisão e as recâmaras da alma. Finalmente, a plantação da igreja tem que ver com a batalha espiritual. É um confronto direto com as forças ocultas das trevas.[8] A primeira igreja estabelecida na Europa, na colônia romana de Filipos, nos revela o poder do evangelho em alcançar pessoas de raças diferentes, de contextos sociais diferentes, com experiências religiosas diferentes, dando a elas uma nova vida em Cristo. Destacamos alguns pontos aqui:

Em primeiro lugar, *o evangelho chega até as pessoas pela graça soberana de Deus.* Atos 16.10-34 fala sobre a conversão, em Filipos, de três pessoas totalmente diferentes umas das outras, um verdadeiro retrato da eficácia do evangelho em transformar vidas.

A conversão de Lídia (At 16.13,14). É Deus quem toma a iniciativa na conversão de Lídia. É Ele quem abre o coração dessa mulher. Não apenas Lídia se converte, mas toda a sua casa (At 16.15). E não apenas sua família é batizada, mas sua casa se transforma na sede da primeira igreja da Europa (At 16.40)

A libertação da jovem possessa (16.16-18). Ela era possuída por um espírito de pitonisa e adivinhação. Era escrava tanto do diabo quanto dos homens. É Deus também quem toma a iniciativa na sua libertação e conversão.

A conversão do carcereiro (At 16.27-34). Três milagres aconteceram na conversão desse oficial romano: 1) Milagre físico – Terremoto; 2) Milagre moral – "Todos nós estamos aqui"; 3) Milagre espiritual – Deus mudou a vida dele. A conversão do carcereiro desembocou na salvação de toda a sua família (At 16.33). O evangelho começa não apenas alcançando pessoas, mas famílias inteiras.

Em segundo lugar, *o evangelho vem a todo tipo de pessoa.* Destacamos aqui alguns pontos importantes:

Deus salva na cidade de Filipos três raças diferentes. Lídia era asiática, da cidade de Tiatira; a jovem escrava era grega; o carcereiro era cidadão romano. A igreja de Filipos era multicultural e multirracial.

Deus salva na cidade de Filipos três classes sociais. Na igreja de Filipos, temos não apenas três diferentes nacionalidades, mas também três classes sociais: Lídia era uma empresária bem-sucedida, uma mercadora, comerciante de púrpura, uma das mercadorias mais caras do mundo antigo; a jovem possessa era uma escrava e, perante a lei, não era uma pessoa, mas uma ferramenta viva; o carcereiro era um cidadão romano, um membro da forte classe média romana que se ocupava dos serviços civis. Nessas três pessoas, estavam representadas a classe alta, a classe média e a classe pobre da sociedade de Filipos. William Barclay diz que não há nenhum capítulo na Bíblia que mostre tão bem o caráter universal da fé que Jesus trouxe aos homens.[9]

Deus salva na cidade de Filipos pessoas de culturas religiosas diferentes. 1) Lídia era prosélita, uma gentia que vivia a cultura religiosa piedosa dos judeus. 2) A escrava vivia no misticismo mais tosco, comprometida com os demônios, possessa. 3) O carcereiro acreditava que César era o Senhor.

A salvação alcança todos os tipos de pessoas. Deus salva pessoas de lugares diferentes, de raças diferentes, de culturas diferentes e religiões diferentes. As paredes que dividem as pessoas são quebradas. Pobres e ricos, religiosos e místicos, ateus e possessos podem ser alcançados com o evangelho. Jesus é o único Salvador.

Em terceiro lugar, *o evangelho vem a nós com diferentes experiências transformadoras.* Destacamos três pontos importantes:

Lídia já era uma mulher piedosa. O evangelho a alcança de forma calma e serena. Enquanto ela estava numa reunião de oração, ouvindo a Palavra, Deus abriu o seu coração.

A jovem escrava era prisioneira de Satanás. O evangelho a alcançou enquanto ela estava nas garras do diabo. Ela era um capacho nas mãos dos demônios. Era explorada por demônios e pelos homens. Foi uma experiência dramática, bombástica. O diabo escravizava essa jovem. O diabo é assassino, ladrão, venenoso como uma serpente, traiçoeiro como uma víbora, feroz como um leão, perigoso como um dragão. O diabo é o pai da mentira. Ele é estelionatário: promete liberdade, escraviza. Promete prazer, mas, dá desgosto. Promete vida, mas paga com a morte.

O diabo veio roubar, matar e destruir. Ele é sujo, cruel. Ele escraviza pessoas. Ele destrói famílias. Ele aterroriza e atormenta as suas vítimas. Ele atacou Jó, tirando-lhe os bens, os filhos e a saúde. Ele atacou Davi, pondo o orgulho em seu coração para recensear o povo de Israel. Ele atacou Judas com a ganância. Ele atacou Ananias e Safira com a avareza. Ele atacou o gadareno com a loucura.

O diabo dominou essa jovem, dando-lhe a clarividência, espírito de adivinhação. Ela adivinhava pelo poder dos demônios. O diabo falava pela boca dessa moça. As coisas do diabo parecem funcionar. Ela adivinhava mesmo. Os donos dela ganhavam dinheiro mesmo. Muita gente teve lucro com o misticismo dessa escrava. O diabo enriquece, mas rouba a alma. O diabo oferece prazeres, mas depois destrói a pessoa.

Paulo não aceitou o testemunho dos demônios nem conversou com os demônios. Ele libertou essa escrava do poder demoníaco. O diabo mantém muitas pessoas no cativeiro hoje também. Todavia, quando o evangelho chega, os cativos são libertos.

O carcereiro era adepto da religião do Estado. O evangelho o alcançou em meio a um terremoto, à beira do suicídio.

Deus nos salva de formas diferentes. Por isso, não podemos transformar a nossa experiência em modelo para os outros. Embora todas essas três pessoas tivessem experiências genuínas, cada uma teve uma experiência distinta. Todas se arrependeram. Todas foram transformadas.

Martyn Lloyd Jones elabora uma parábola interessante de dois cegos curados por Jesus contando um para o outro a sua experiência de cura: Um disse que Jesus passou cuspe no seu olho. O outro disse: "Não, então não foi Jesus. Ele não fez nada disso comigo". O resultado é que surgiram duas denominações: a religião da cura com cuspe e a religião da cura sem cuspe.

Em quarto lugar, *o evangelho é poderoso para salvar aqueles que se arrependem.* Jesus salvou uma mulher e um homem. Uma mulher e um homem de classe média. Uma mulher piedosa e um homem carrasco. Uma freqüentadora da reunião de oração e um carrasco que açoitava os prisioneiros.

Vejamos a conversão de Lídia. A conversão dessa comerciante de Tiatira nos ensina três coisas:

Primeiro, ela era temente a Deus, uma mulher de oração, mas não era convertida. Não basta freqüentar a igreja, ler a Bíblia e orar. É preciso nascer de novo.

Segundo, Deus abriu o coração de Lídia. Ela ouviu. Ela atendeu. A parte de Deus é abrir o seu coração. A sua parte é ouvir e atender!

Terceiro, a conversão de Lídia aconteceu num lugar favorável. Ela buscava a Deus. O carcereiro não o procurava. Ela estava orando; o carcereiro estava à beira do suicídio.

Vejamos a conversão do carcereiro. A conversão desse funcionário público de Roma nos mostra alguns pontos importantes:

Primeiro, há pessoas que somente se convertem após um terremoto. Só depois de um abalo sísmico. Há aqueles que não ouvem a voz suave. Não buscam uma reunião de oração. Não procuram ouvir a Palavra de Deus. Para esses, Deus produz um terremoto, um acidente, uma enfermidade, algo radical!

Segundo, o mesmo Deus que abriu o coração de Lídia abriu as portas da prisão. O carcereiro à beira do suicídio reconhece quatro coisas: 1) Que está perdido – "Que farei para ser salvo?". Não há esperança para você, a menos que reconheça que está perdido. Sem Cristo, você cambaleia sobre um abismo de trevas eternas. Se você não se converter, sua vida será vã, sua fé será vã, sua religião será vã, sua esperança será falsa. 2) Que é preciso crer no Senhor Jesus – "Crê no Senhor Jesus e serás salvo, tu e a tua casa". Não há outro caminho. Não basta ser religioso. Não é suficiente ter pais crentes. Não importa também quão longe você esteja. Se você crê, é salvo. 3) É preciso obediência – "Crê no Senhor Jesus". Se Jesus não é o dono da sua vida, ele ainda não é o Seu Salvador. Ele não nos salva no pecado, mas do pecado. 4) É preciso dar provas de transformação. Conversão implica mudança no ponto nevrálgico da nossa vida. Esse homem rude deixa de ser carrasco, para ser hospitaleiro. Deixa de açoitar, para lavar os vergões de Paulo. Deixa de agir com crueldade, para agir com urbanidade.

Em quinto lugar, *o evangelho é poderoso para nos sustentar nas provas da vida.* Paulo e Silas são presos, açoitados e trancados no cárcere. Mas eles não praguejam, não se desesperam, não se revoltam contra Deus. Eles têm paz no vale. Em vez de clamar por vingança contra os seus inimigos, eles clamam pelo nome de Deus para adorá-Lo.

Eles fazem um culto na cadeia. Cantam e oram a despeito das circunstâncias. O evangelho que pregam aos outros funciona também para eles. Na verdade, eles sabem que Deus está no controle da situação.

Eles experimentam um poderoso livramento. Deus não apenas liberta os cativos das mãos do diabo, mas também liberta os Seus filhos das prisões. Ele tirou José da cadeia e o levou ao trono do Egito. Tirou os três jovens hebreus da fornalha acesa e os honrou diante da nação. Tirou Daniel da cova dos leões e o exaltou diante dos seus inimigos. Tirou os apóstolos das grades deixando as portas fechadas. Tirou Pedro da prisão de segurança máxima de Herodes. Agora tira Paulo e Silas do cárcere interior da prisão de Filipos. Assim, Deus pode dar livramento a você nas circunstâncias mais adversas.

As peculiaridades da carta enviada à igreja de Filipos

A carta à igreja de Filipos é considerada a mais bela do Novo Testamento. Ela transborda de alegria, generosidade e entusiasmo. Destacamos alguns pontos:

Em primeiro lugar, *o autor da carta.* O apóstolo Paulo, corajoso missionário, ilustrado mestre, articulado apologista, estadista cristão e fundador da igreja de Filipos, é o remetente da carta.

Há abundantes evidências internas e externas que provam conclusivamente que Paulo foi o autor dessa carta. Os pais da Igreja primitiva Policarpo, Irineu, Clemente de Alexandria, Eusébio e outros afirmam a autoria paulina dessa carta.[10]

Paulo recebeu uma refinada educação secular e religiosa (At 22.3). Ele era um líder do judaísmo na cidade de Jerusalém. Era um fariseu, ilustre membro do Sinédrio, que deu seu voto para matar alguns seguidores de Cristo (At 26.5,10). Convertido a Cristo, foi destinado como apóstolo aos gentios. Foi enviado pela igreja de Antioquia como missionário transcultural, e, na sua segunda viagem missionária, esteve em Filipos, onde plantou a igreja. Dez anos depois, quando preso em Roma, escreveu a carta à igreja de Filipos.

Em segundo lugar, *onde e quando a carta foi escrita*. Essa é uma carta da prisão. Paulo esteve preso três vezes: em Filipos (At 16.23), em Jerusalém e Cesaréia (At 21.27–23.31) e finalmente em Roma (At 28.30,31), nesta última em duas etapas. Há evidências abundantes de que Paulo escreveu de Roma, essa carta no final da sua primeira prisão. Três fatores parecem provar essa tese: Primeiro, as demais cartas da prisão foram escritas de Roma (Efésios, Colossenses, Filemom), onde Paulo passou mais tempo em cativeiro. Segundo, em Filipenses 1.13 Paulo menciona a guarda pretoriana (o pretório). Terceiro, em Filipenses 4.22 Paulo envia saudações dos "da casa de César", todos os que faziam parte das lides domésticas do imperador. Werner de Boor afirma que quando essas três coisas – prisão, pretorianos, casa de César – convergem, não faltam muitos argumentos para tomar a decisão a favor de "Roma".[11]

Essa carta foi escrita no final da primeira prisão em Roma, e não durante a segunda prisão, visto que Paulo tem vívida esperança de rever os filipenses (1.19,25) e ainda desfrutava certa liberdade a ponto de receber livremente seus visitantes (At 28.17-30). Paulo ficou preso em Roma, nessa primeira reclusão, cerca de dois anos, aproximadamente nos anos 60 a 62 d.C. Ele escreveu a Carta aos Filipenses já no final de 61 d.C. Evidentemente essa foi a última carta escrita no período dessa primeira prisão, argumenta Bruce

B. Barton.[12] Na segunda prisão em Roma, entretanto, de onde escreveu sua última carta, 2Timóteo, Paulo estava sofrendo cadeias como um criminoso (2Tm 2.9). Ele fora abandonado (2Tm 4.10,16), sentia frio (2Tm 4.13) e esperava o martírio (2Tm 4.6,7,18).

Em terceiro lugar, *por que Paulo escreveu esta carta?* Paulo escreveu a Carta aos Filipenses com dois propósitos em mente:

Para agradecer à igreja de Filipos sua generosidade. Essa é uma carta de gratidão à igreja pelo seu envolvimento com o velho apóstolo em suas necessidades. Essa igreja foi a única que se associou a Paulo desde o início para sustentá-lo (4.15). Enquanto Paulo esteve em Tessalônica, eles enviaram sustento para ele duas vezes (4.16). Enquanto Paulo esteve em Corinto, a igreja de Filipos o socorreu financeiramente (2Co 11.8,9). Quando Paulo foi para Jerusalém depois da sua terceira viagem missionária, aquela igreja levantou ofertas generosas e sacrificais para atender os pobres da Judéia (2Co 8.1-5). Quando Paulo esteve preso em Roma, a igreja de Filipos enviou a ele Epafrodito com donativos e para lhe prestar assistência na prisão (4.18).

Para alertar a igreja sobre os perigos que estava enfrentando. A igreja de Filipos enfrentava dois sérios problemas: um interno e outro externo.

Primeiro, a quebra da comunhão. A desunião dos crentes era um pecado que atacava o coração da igreja. Era uma arma destruidora que estava roubando a eficácia da igreja diante do mundo. Ralph Martin diz que a igreja filipense sofria com problemas de presunção (2.3), de vaidosa superioridade (2.3), que induziam ao egoísmo (2.4), quebrando a *koinonia*, espírito de boa vontade para com a comunidade. Isso gerava pequenas disputas (4.2) e espírito de reclamação (2.14).[13] Havia um espírito individualista e elitista em alguns membros da igreja de Filipos que colocava em risco a harmonia na igreja. Havia partidarismo e vanglória. Havia falta de comunhão entre os crentes. Problemas pessoais interferiam na unidade espiritual da igreja. Até mesmo duas irmãs, líderes da igreja, estavam em desacordo dentro dela (4.2). J. A. Motyer descreve com vivacidade a gravidade desse problema:

> Nas duas principais ocasiões quando Paulo chama os crentes de Filipos à unidade (2.2; 4.2), ele introduz seu mandamento alertando os crentes sobre dois fatos ou verdades sobre a igreja. Em Filipenses 2.1, Paulo os relembra de que eles estão em Cristo, que o amor do Pai foi derramado sobre eles e que, pelo Espírito, a eles foi dado o dom da comunhão. É essa obra trinitariana que fez deles o que são. Viver em desarmonia, em vez de em união, é um pecado contra a obra e a Pessoa de Deus. Em Filipenses 4.1, não é acidentalmente que Paulo se dirige a eles duas vezes, chamando-os de "amados" e uma vez de "irmãos". Antes de exortá-los à unidade, ele os relembra de sua posição: eles pertencem à mesma família (irmãos) em que o espírito vivificador é o verdadeiro amor (amados). À luz desses fatos, a desunião é uma ofensa abominável.[14]

Segundo, a heresia doutrinária. A igreja estava sob ataque também pelo perigo dos falsos mestres (3.2). O judaísmo e o perfeccionismo atacavam a igreja. Paulo os chama de adversários (1.28), inimigos da cruz de Cristo (3.17). Ralph Martin diz que os mestres discutidos em Filipenses 3.12-14 são judeus. Eles se vangloriavam da circuncisão (3.2), a que Paulo replica com uma afirmação de que a igreja é o verdadeiro Israel (3.3). Eles se gloriavam na "carne", cortada na execução do rito; ele se gloria apenas em Cristo. Eles se orgulhavam de suas vantagens, especialmente de seu conhecimento de Deus; ele só encontra verdadeiro conhecimento de Deus em Cristo. A justiça deles era baseada na lei (3.9); a confiança de Paulo descança na dádiva de Deus. Os judeus buscavam e esperavam obter justiça; Paulo fixa os seus olhos em alvos diferentes e anseia por ganhar a Cristo.[15] Esses falsos mestres viviam como inimigos da cruz – em seu comportamento, deificando seus apetites, honrando valores vergonhosos, só pensando nas coisas deste mundo (3.19).

Paulo tem de lidar também com os missionários gnósticos perfeccionistas. Eles alardeavam seu "conhecimento" (3.8) e professavam ter alcançado uma ressurreição, já experimentada, dentre os mortos (3.10). São "perfeitos" (3.12). Esses gnósticos são, de fato, inimigos da cruz de Cristo (3.18), libertinos e condenados (3.19).

Em quarto lugar, *as principais ênfases da carta.* A Carta aos Filipenses não é um tratado teológico como Romanos, Efésios e Colossenses. É uma carta pessoal, que trata de assuntos pessoais, mas esses temas são abordados teologicamente. Vamos destacar aqui alguns pontos principais:

A alegria. Filipenses é a carta da alegria. Transborda de seu texto uma alegria indizível e cheia de glória. O tom da alegria no Senhor perpassa toda a carta. O conceito de "regozijai-vos" e "alegria" aparece dezesseis vezes nela (1.4; 1.18; 1.25; 2.2; 2.28; 3.1; 4.1; 4.4; 4.11). Bruce B. Barton diz que as páginas dessa carta irradiam a positiva e triunfante mensagem que em razão da obra de Cristo por nós (2.6-11; 3.12), da ação do Espírito Santo em nós e por nosso intermédio (1.6; 1.12-14; 1.18-26; 2.12,13; 4.4-7; 4.10-13), e por causa do plano de Deus para nós (1.6,9,10; 3.7-14; 3.20,21; 4.19), podemos e devemos nos regozijar.[16] Ainda que preso, oprimido por circunstâncias adversas,

Paulo irrompe em brados de alegria, revelando que a alegria verdadeira é imperativa, ultracircunstancial e cristocêntrica (Fp 4.4).

A unidade cristã. Depois de dar primazia a Cristo no capítulo 1, Paulo revela que o *outro* deve vir antes do *eu.* O amor não é egocentralizado, mas outrocentralizado. O segredo da unidade é sempre pôr o interesse dos outros na frente do nosso. No capítulo 2, Paulo cita quatro exemplos daqueles que pensam no *outro* antes de pensar no *eu*: Cristo, ele próprio, Timóteo e Epafrodito.

A Pessoa de Cristo. Cristo é a figura central dessa carta. Ele é o elo de união entre todas as outras partes. É o Senhor plenamente divino (Fp 2.6), exaltado (2.9-11). É o Jesus da cruz (2.8; 3.18; 1.29), mas, também, aquele que virá em glória para nos transformar (3.21; 1.11).

A segunda vinda de Cristo. Há seis referências à segunda vinda de Cristo nesta carta (1.6,10; 2.16; 2.9-11; 3.20,21; 4.5). Para esse dia, Deus Pai está trabalhando, a fim de que toda criatura, sem exceção, se dobre aos pés do Senhor Jesus (2.9-11) e todo aquele em quem Ele começou a Sua obra esteja pronto para aquele grande dia (1.6). Para aquele dia, os cristãos também devem trabalhar. Precisamos viver como Ele viveu (1.10), produzindo frutos de justiça (1.11), esforçando-nos para trazer outros à fé para que nos alegremos juntos ante o Seu trono (2.16,17; 4.5). Para esse dia, também, o próprio Cristo está trabalhando. Quando Ele manifestar a Sua glória, todo inimigo irá se curvar (Fp 2.9-11). Então seremos transformados à Sua semelhança (3.20,21).[17] A alegria e a unidade cristã têm como fundamento Cristo e a expectativa da Sua vinda gloriosa.

NOTAS INTRODUÇÃO

1 BARCLAY, William. *Filipenses, Colosenses, I y II Tesalonicenses*. Editora La Aurora, Buenos Aires 1973: p. 10.

2 BARCLAY, William. *Filipenses, Colosenses, I y II Tesalonicenses*, 1973: p. 9.

3 MOTYER, J. A. *The message of Philippians*. Inter-Varsity Press. Downers Grove, Illinois, 1991: p. 15.

4 MOTYER, J. A. *The message of Philippians*, 1991: p. 15.

5 BARCLAY, William. *Filipenses, Colosenses, I y II Tesalonicenses*, 1973: p. 10.

6 LAKE, K. e CADBURY H. J. *The beginnings of christianity*. 4. ed. F. J. Foakes Jackson e K. Lake (Macmillan, 1993): p. 190.

7 BARCLAY, William. *Filipenses, Colosenses, I y II Tesalonicenses*, 1973: p. 10.

8 MOTYER, J. A. *The message of Philippians*, 1991: p. 15,16.

9 BARCLAY, William. *Filipenses, Colosenses, I y II Tesalonicenses*, 1973: p. 11.

10 BARTON, Bruce B. et all. *Life application Bible commentary on Philippians*, 1905: p. 4.

11 DE BOOR, Werner. *Carta aos Efésios, Filipenses e Colossenses*. Editora Esperança. Curitiba, PR, 2006: p. 164.

12 BARTON, Bruce B. et all. *Life application Bible Commentary on Philippians*, 1995: p. 6.

13 MARTIN, Ralph P. *Filipenses*, 1985: p. 44.

14 MOTYER, J. A. *The message of Philippians*, 1991: p. 19.

15 MARTIN, Ralph P. *Filipenses*. Editora Mundo Cristão. São Paulo, 1985: p. 37.

16 BARTON, Bruce B. et all. *Life application Bible commentary on Philippians*. Tyndale House Publishers. Wheaton, Illinois, 1995: p. 3.

17 MOTYER, J. A. *The message of Philippians*, 1991: p. 22.

Capítulo 1

A saudação do apóstolo Paulo à igreja de Filipos

(Fp 1.1,2)

A Carta de Paulo aos Filipenses é uma jóia de rara beleza. É o grande estandarte da alegria que transborda no meio da dor. Dois fatos podem ser destacados à guisa de introdução:

Em primeiro lugar, *essa carta é um recado de amor mais do que uma exposição teológica.* A Carta de Paulo aos Filipenses é um bilhete de amor, em que Paulo abre o coração e deixa transbordar a sua alegria, a sua gratidão e o seu profundo apreço por essa igreja que foi ao longo do seu ministério sua parceira em seu sustento e encorajamento (4.15,16,18). Não obstante Paulo tratar de grandes temas teológicos nessa epístola, seu escopo principal foi agradecer a essa igreja as primícias do evangelho na Europa, por sua generosidade.

Em segundo lugar, *essa carta tem particularidades dignas de serem observadas.* Destacamos alguns pontos:

Reflete o sucesso do propósito divino. Paulo entrou na Europa por expressa orientação divina. Foi Deus quem abriu as portas da Europa para o evangelho. Essa igreja nasceu no coração de Deus antes de nascer da estratégia missionária de Paulo. Agora, essa igreja plantada por direção divina torna-se um exemplo de amor, serviço e abnegação (4.15,16,20; 2Co 8.1-4).

Reflete que o sofrimento pelo evangelho pode ser transformado em alegria no evangelho. Paulo plantou a igreja de Filipos debaixo de açoites e prisão. Ele gerou essa igreja regando o solo com lágrimas e sangue. No entanto, exatamente essa igreja tornou-se a coroa da sua alegria e o motivo maior da sua consolação e sustento (4.1).

Reflete que nenhuma circunstância pode frustrar os soberanos propósitos de Deus. Paulo escreve essa carta de Roma, onde está preso e algemado. Contudo, as circunstâncias adversas, em vez de oprimir Paulo e colocar barreiras ao evangelho, abrem ainda mais avenidas para a sua proclamação (1.12-18). O plano de Deus é invencível.

Reflete a verdade gloriosa de que a alegria do cristão é ultracircunstancial. Nos quatro capítulos dessa carta, Paulo lida com quatro ladrões da alegria: circunstâncias (1.12), pessoas (2.1-4), coisas materiais (3.19) e ansiedade (4.6,7). A alegria do cristão não é ausência de problemas nem está colocada em coisas; ela procede de Deus, é sustentada por Deus e consumada por Ele. O evangelho que nos alcançou é a boa-nova de grande alegria. O Reino de Deus que está dentro de nós é alegria no Espírito Santo. O fruto do

Espírito é alegria. A ordem de Deus para nós é: "Alegrai-vos". O mundo não pode dar nem tirar essa alegria. Ela vem do céu, é de Deus. Essa é a alegria ultracircunstancial.

O remetente da carta

A carta começa com a apresentação do remetente. Esse era o método usado naquela época. A autoria paulina de Filipenses é um fato incontroverso. Há testemunhos abundantes, tanto internos quanto externos, que atestam que Paulo escreveu essa carta no final de sua primeira prisão em Roma, por volta do ano 61 ou 62 d.C. Bruce B. Barton enumera três razões pelas quais Filipenses foi a última das cartas da prisão (Efésios, Filipenses, Colossenses e Filemom).[18]

Em primeiro lugar, *Paulo expressou a expectativa de rever sua condição como prisioneiro* (2.23). Ele queria enviar Timóteo à igreja de Filipos, mas, antes, precisava tomar algumas medidas em Roma acerca da sua situação. A necessidade de revisão revela que isso aconteceu após um longo tempo de prisão.

Em segundo lugar, *houve tempo suficiente para que os crentes de Filipos tomassem conhecimento da sua prisão, enviassem a ele Epafrodito e ouvissem sobre a doença de Epafrodito em Roma.* Esses fatos evidenciam que a carta não foi escrita logo no começo da prisão de Paulo em Roma, mas no final dela.

Em terceiro lugar, *Filipenses deve ter sido escrita depois de Colossenses, Efésios e Filemom, pois Paulo diz em Filipenses que Lucas não está mais com ele* (2.20), *ao passo que Lucas estava com Paulo quando ele escreveu Colossenses* (Cl 4.14) *e Filemom* (Fm 24).

A presença de Timóteo na saudação inicial não significa que este tenha sido co-autor da carta, pois ao longo do texto

Paulo apresenta-se sempre como o único autor. Ralph Martin diz que Timóteo compartilha a dignidade do título, visto que Paulo tenciona enviá-lo a Filipos, como seu representante pessoal (2.23). No entanto, não há qualquer indicação de que o nome de Timóteo aparece porque ele era o amanuense, ao lado de Paulo, nem mesmo para dar um caráter coletivo, como se Paulo estive abrindo mão da autoridade de uma revelação particular.[19] Essa era uma forma carinhosa de Paulo dizer que Timóteo estava com ele em Roma e também enviava à igreja a mesma mensagem. Timóteo vinha da Licaônia e era filho de um grego e de uma judia que se tornou cristã. Timóteo se fez companheiro de Paulo nas viagens ainda muito jovem. Partilha o cárcere de Paulo. Em seis cartas, ele aparece como "colaborador".

Vamos conhecer um pouco mais sobre Paulo, esse personagem que escreveu a maior parte do Novo Testamento e é considerado o maior teólogo, o maior evangelista e o maior plantador de igrejas do primeiro século.

Em primeiro lugar, *Paulo era um grande homem.* Paulo é a versão grega do nome hebraico Saulo (At 13.9). Da tribo de Benjamim (3.5), Paulo nasceu em Tarso, foi educado como fariseu zeloso da lei, e instruído em Jerusalém aos pés do erudito Gamaliel (At 22.3). Embora nascesse de pais judeus, Paulo era também cidadão romano (At 22.27,28). Homem de cultura invulgar, de personalidade carismática e de liderança inequívoca, era, também, um importante membro do Sinédrio, o mais conspícuo concílio do povo judeu.

Em segundo lugar, *Paulo foi um grande perseguidor.* Criado na mais estrita e ortodoxa corrente teológica de Israel, o farisaísmo, Paulo viu o cristianismo nascente como uma ameaça à religião do seu povo. Cheio de zelo e fervor, tomou em suas mãos o propósito de extinguir no nascedouro a religião do Caminho. Perseguiu cruelmente os cristãos, açoitando, prendendo e matando alguns deles. Liderou a turba que apedrejou o diácono Estêvão em Jerusalém e saiu respirando ameaça contra os cristãos que se refugiaram em Damasco, para os trazer presos a Jerusalém.

Nessa empreitada inglória e ensandecida, não se apercebeu de que lutava não apenas contra a Igreja, mas contra o próprio Filho de Deus, pois quem persegue a Igreja, persegue o próprio Cristo. Quem persegue o corpo, persegue a cabeça. Quem toca na Igreja de Deus, toca na menina-dos-olhos do Senhor.

Em terceiro lugar, *Paulo era um grande convertido.* A conversão de Paulo realça com cores vivas a soberania de Deus na salvação. Destacamos alguns pontos:

Não foi ele quem buscou a Cristo, mas Cristo quem o buscou. Paulo estava engajado numa luta contra o próprio Filho de Deus, perseguindo a Sua Igreja, quando no caminho de Damasco, Cristo o transformou. Não é o homem quem busca a Deus; é Deus quem o busca. Não é o homem quem ama a Deus primeiro; é Deus quem o ama e o atrai com cordas de amor. A salvação é uma obra soberana e exclusiva de Deus. Tudo provém Dele.

Não foi ele quem se rendeu a Cristo, mas foi rendido por Cristo. Diante da manifestação gloriosa da luz que brilhou em seu caminho, Saulo caiu por terra. Ele não se prostrou; foi prostrado. Ele não se rendeu; foi rendido. Ele não abriu seus olhos; seus olhos foram abertos. Ele não descobriu Cristo; foi descoberto. Ele não achou Cristo; foi achado.

Não foi ele quem gritou da terra ao céu, mas foi Cristo quem lhe bradou do céu à terra. A voz de Cristo precedeu a voz de Paulo. A salvação é uma iniciativa divina, e não um expediente humano. Primeiro Deus nos chama, depois respondemos ao Seu chamado. Primeiro Deus nos escolhe, depois respondemos a essa escolha. Primeiro Deus nos ama, depois respondemos a esse amor. Primeiro Deus muda as disposições íntimas da nossa alma, depois nós respondemos à Sua oferta graciosa. Primeiro Deus nos arranca das entranhas da morte, depois somos assentados com Ele nos lugares celestiais.

Não foi ele quem entrou para o evangelho, mas foi o evangelho que entrou nele. Paulo, caído e atordoado pela gloriosa visão, olha para Jesus não como alguém a quem deve perseguir, mas como o Senhor da sua vida a quem deve obedecer. Agora, em vez de entrar em Damasco com a chibata na mão, empavonado em seu orgulho para prender e arrastar os cristãos, ele entra humilde, guiado pelas mãos de outrem. Em vez de respirar ameaça contra os cristãos, de joelhos ele ora ao Deus dos cristãos. Em vez de ser um tormento para os cristãos, foi chamado de "irmão" por um deles. Em vez de ser um embaixador da morte, é transformado no embaixador da reconciliação.

Em quarto lugar, *Paulo, era um grande missionário.* O Senhor disse acerca de Paulo: "... este é para mim um instrumento escolhido para levar o meu nome perante os gentios e reis, bem como perante os filhos de Israel" (At 9.15). Deus reverte completamente a situação. Aquele que era o maior problema, torna-se a maior bênção. Aquele que era a maior ameaça para a Igreja, torna-se o maior instrumento para plantar igrejas. Aquele que era o maior opositor do cristianismo, torna-se o seu maior teólogo e defensor. Aquele que considerava os gentios indignos da salvação, é enviado aos gentios como missionário. Aquele que perseguia cruelmente os cristãos por causa do evangelho, agora se torna perseguido por causa do evangelho (At 9.16). Aquele que trazia cartas da parte do Sinédrio para prender e matar, agora escreve cartas para abençoar, edificar e salvar.

Paulo fez três viagens missionárias. Plantou e fortaleceu igrejas na Ásia e na Europa. Viajou, pregou, escreveu e aconselhou. Suportou prisões, açoites, apedrejamento e naufrágio. Cruzou mares, rios, desertos e pregou nos lares, nas sinagogas, nas escolas, nas praças, na prisão. Ele foi o maior teólogo e o maior missionário da Igreja primitiva. Foi ele quem mais plantou igrejas e quem mais viajou. Foi ele quem mais influenciou com a sua vida e ensinamentos a história da humanidade.

Em quinto lugar, *Paulo, era um grande amigo.* Paulo escreve aos filipenses usando um tom fraternal. Ele não se a esses àqueles irmãos como apóstolo, da mesma forma que costumava a fazer nas outras cartas, mas como servo de Cristo Jesus. De todas as cartas de Paulo, somente nas duas dirigidas às igrejas da Macedônia (Filipos e Tessalônica) e em sua carta pessoal a Filemom ele não se apresenta como apóstolo. Por quê? Porque ele não vê nenhuma necessidade de defender seu apostolado. Ele não precisa apresentar as suas credenciais nem mesmo relembrá-los de sua autoridade apostólica. Ele sabe que será ouvido com toda a atenção e com todo o afeto. A igreja de Filipos sempre reconheceu seu apostolado e ao longo dos anos foi um braço de sustentação do velho apóstolo. William Barclay diz que, de todas as igrejas, a de Filipos era aquela à qual Paulo se sentia mais ligado. Por isso, escreve não como um apóstolo aos membros da igreja, mas como um amigo a seus amigos.[20]

Paulo escreve aos filipenses como um amigo. Ele tem intimidade e confiança para dirigir-se aos irmãos e exortá-los sem precisar lembrar a eles que é um apóstolo.

Em sexto lugar, *Paulo, era servo de um grande Senhor.* Em vez de Paulo apresentar-se como apóstolo, ele se apresenta como "servo de Cristo Jesus". A palavra grega *doulos* que Paulo usou é mais do que servo; significa escravo. Um servo tem a liberdade de ir e vir, de ligar-se a outro amo, mas um escravo é propriedade de seu amo para sempre. William Barclay diz que, quando Paulo se chama escravo de Cristo Jesus, o faz por três motivos:[21]

Ele deixa claro que é propriedade absoluta de Cristo. Jesus o amou e o comprou mediante um alto preço (1Co 6.20). Por isso, não pode pertencer a ninguém mais além de Jesus Cristo.

Ele deixa claro que deve a Cristo obediência absoluta. O escravo não tem vontade própria; sua vontade é fazer a vontade do seu senhor. As decisões do seu senhor são as que regem a sua vida. Paulo não tem outra vontade senão a de Cristo. Seu projeto de vida é obedecê-Lo.

Ele deixa claro que ser servo de Cristo é a maior honra. Esse é o mais elevado dos títulos. A escravidão cristã não é uma sujeição humilhante e degradante; ao contrário, como disse Agostinho, quanto mais servos de Cristo somos, tanto mais livres nos sentimos. Ser escravo de Cristo é ser rei. Ser escravo de Cristo é o caminho para a liberdade perfeita. Porque somos escravos de Cristo, somos livres da penalidade, da escravidão e da degradação do pecado.

Os destinatários da carta

Há alguns pontos que devem ser destacados aqui:

Em primeiro lugar, *os destinatários identificados.* Paulo escreve não apenas para um grupo seleto da igreja, mas para "*todos* os santos". Paulo não faz acepção de pessoas. Ele ama todos e destaca todos de igual modo. Na Igreja de Deus, todos são iguais. Não pode existir complexo de inferioridade nem de superioridade. Todos somos membros do corpo.

J. A. Motyer diz:

> Um dos aspectos mais ricos desta vida para a qual fomos chamados e separados é que agora vivemo-la em comunhão com todos os santos. O mesmo Senhor que nos uniu a Ele mesmo, agora também nos une à comunhão de todo o Seu povo.[22]

Somos um com todos os que pertencem à família de Deus. A Igreja de Cristo é supra-racial, supracultural e supradenominacional. Somos um só povo, um só rebanho, uma só igreja, uma só noiva do Cordeiro. Devemos trabalhar juntos pela fé evangélica e nos esforçarmos para a unidade do Espírito no vínculo da paz.

Em segundo lugar, *os destinatários definidos.* Paulo, agora, define seus destinatários como "todos *os santos*". J. A. Motyer diz que parece estranho Paulo dirigir essa carta não aos filipenses, mas aos santos que vivem em Filipos. Essa estranheza decorre do fato de que, se fosse hoje, provavelmente esperaríamos essa introdução assim: "O santo Paulo aos cristãos de Filipos, em vez de o escravo Paulo aos santos de Filipos".[23]

O que essa saudação significa? A palavra grega usada por Paulo para santos é *hágios.* Esta era a palavra mais comum para designar um cristão no Novo Testamento. Ela aparece mais de sessenta vezes no Novo Testamento, enquanto a palavra "cristão" aparece apenas três vezes.[24] William Barclay diz:

> Para os ouvidos modernos, a palavra descreve uma piedade quase extramundana; relacionando-se mais com esplêndidos vitrais do que com o mercado. A palavra "santos" não significa pessoas sem pecado, ou perfeitas, mas separadas do mundo para Deus.[25]

Não se trata de pessoas que foram canonizadas, mas se refere a todas aquelas pessoas que, eleitas por Deus, amadas por Ele, foram chamadas pelo evangelho, transformadas pelo Espírito Santo para fazerem parte da família de Deus. Essa separação não é geográfica. Não saímos do mundo geograficamente. Estamos nele, mas não somos dele. Jesus orou não para que fôssemos tirados do mundo, mas guardados no mundo. A santidade na Bíblia não é isolamento nos mosteiros ou templos evangélicos. Nessa mesma linha de pensamento, Werner de Boor explica:

> Diante da difundida má compreensão moral da palavra "santo" como "bom", "puro", "devoto", foi enfatizado que "santo" significa simplesmente "pertencente a Deus", "confiscado como propriedade de Deus".[26]

A santidade na Bíblia tem dois aspectos: um posicional e outro experimental. Ser santo é ser separado por Cristo para uma nova vida. Por um lado, ser santo aponta para o que Cristo fez por nós (Rm 1.7; Cl 3.12,13); por outro lado, aponta para o que fazemos por Cristo, ou seja, a obrigação que temos de viver conforme essa nova posição em Cristo (Cl 3.12).

A palavra grega *hágios* e o seu equivalente hebraico *kadosh* se traduzem com muita freqüência por "santo". Para a mentalidade hebraica, se algo se descreve como "santo", fundamentalmente significa que é *diferente de outras coisas;* algo que em certo sentido *é separado dos demais.*[27] A idéia fundamental de *hágios* não é apenas ser separado, mas, sobretudo, pertencer a uma diferente ordem de coisas ou viver em uma diferente esfera.[28]

Ralph Martin corretamente comenta:

> No Antigo Testamento, Israel era o povo santo de Deus, separado das demais nações por ter sido chamado como posse de Iavé (Nm 23.9; Sl

147.20), e dedicado à adoração e culto do único Deus (Êx 19.5,6; Lv 19.1,2; Dt 7.6; 14.2). A igreja do Novo Testamento estava bem ciente de seu lugar como sucessora dessa comunidade sagrada de Israel (1Pe 2.9,10) e, mui ousadamente, apropriou-se do título de "santos de Deus" como marca desse destino.[29]

J. A. Motyer sintetiza, de forma brilhante, essa idéia de os cristãos como santos:

> Paulo não está aqui preocupado com o que os cristãos são por natureza neste mundo, mas com o que eles são pela graça aos olhos de Deus. Politicamente eles são filipenses, e não há nisso tão grande honra. Mas a graça fez deles portadores da natureza divina, conferindo-lhes a honra das honras, oferecendo-lhes o próprio título e o caráter de Deus, chamando-os de santos.[30]

Em terceiro lugar, *os destinatários detalhados*. Paulo escreve aos liderados e também aos líderes. Na igreja local, há comunhão (todos os santos) e liderança (bispos e diáconos). Paulo se dirige aos bispos e diáconos entre os santos, e não acima deles. Paulo escreve para os crentes e para os líderes, e não para os líderes e os crentes. Os crentes vêm primeiro. Não são os crentes que existem para os líderes, mas os líderes, para os crentes. Os líderes não estão acima dos crentes, mas entre eles (1Pe 5.1-4). George Barlow corretamente afirma que os ministros existem para a igreja, e não a igreja, para os ministros. Os líderes não são a igreja, mas, sob a autoridade de Deus, eles servem e guiam o povo.[31] No Reino de Deus, a pirâmide está de ponta-cabeça: maior é o que serve. Quem quiser ser o maior, deve ser servo de todos. Nessa mesma trilha de pensamento, J. B. Gough Pidge diz:

> A menção dos oficiais da igreja depois dos membros da igreja mostra como a idéia de Paulo acerca dos postos oficiais na igreja eram tão

> diferentes das idéias acerca do sacerdócio suscitadas em tempos posteriores, e seguem ainda dominando uma grande parte da cristandade. Para Paulo, os oficiais eram apenas uma parte da igreja, e não uma ordem separada dela e sobre os leigos.[32]

Permanece, porém, a questão: por que somente nessa carta Paulo se dirige também aos bispos e diáconos? Ralph Martin sugere que a explicação para essa menção, logo no intróito da carta, é que, de alguma maneira, eles desempenharam um papel importante na coleta da oferta enviada a Paulo (4.15,16; 2Co 11.9; 8.1-4; 4.18).[33] Que líderes são esses?

Em primeiro lugar, *os bispos.* A palavra *episcopos* significa aquele que supervisiona. B. C. Caffin corretamente afirma que no Novo Testamento a palavra *episkopos* é sinônima da palavra *presbyteros* (At 20.17,28; 1Pe 5.1,2; 1Tm 3.1-7; Tt 1.5-7). Dessa maneira, os bispos não eram uma classe elevada de líderes sobre outros líderes. Essa idéia é estranha ao Novo Testamento.[34] Bruce B. Barton diz que os bispos são aqueles que supervisionam, alimentam e protegem a vida espiritual dos crentes.[35] No Novo Testamento, as palavras para pastor, presbítero e bispo são termos correlatos, descrevem a mesma pessoa (At 20.17,28). Os bispos cuidam dos de dentro, pastoreando a igreja e protegendo o rebanho (At 20.28-30), enquanto os diáconos cuidam também dos de fora, daqueles que carecem de assistência.

Em segundo lugar, *os diáconos.* Os diáconos são aqueles que cuidam especialmente dos necessitados. O ministério diaconal foi instituído para atender a uma demanda na Igreja primitiva, a assistência aos santos (At 6.1-3). Enquanto o ministério dos bispos é de pastoreio para com os de dentro, o ministério dos diáconos é especialmente voltado para socorrer os necessitados dentro e fora da igreja.

Em quarto lugar, *os destinatários posicionados.* Paulo diz que "os santos" têm dois endereços. Eles vivem em uma dupla dimensão. São cidadãos do céu e também da terra. Vivem neste mundo e também nas regiões celestes. Vejamos esses dois pontos:

Os santos estão em Cristo. Eles habitam em Cristo antes de habitarem em Filipos. São cidadãos dos céus antes de serem cidadãos do mundo. Estão identificados com um reino espiritual antes de estarem vinculados a um reino terreno.

A igreja é um povo separado não para viver em um gueto espiritual, isolada e escondida. A nossa suprema vocação é um chamado não apenas para sermos separados do mundo, mas, sobretudo, para vivermos em Cristo. Os crentes são santos *em Cristo Jesus,* isto é, mediante sua união com Ele, que os reivindicou como o Seu povo, e que Se tornou a base de sua nova vida. Os santos não têm essa posição perante Deus e essas qualidades a partir de si mesmos. Na verdade, é isso que diferencia o "ser santo" de todas as aquisições morais. São santos "em Cristo Jesus".

Ralph Martin, citando Karl Barth, elucida esse ponto, dizendo:

> Pessoas "santas" são pessoas não-santas que, mesmo sendo não-santas, foram, entretanto, separadas, reivindicadas e requisitadas por Deus, para o Seu controle, para o Seu uso, para Si mesmo, que é santo.[36]

Werner de Boor interpreta corretamente esse ponto, quando diz:

> Exatamente esse relacionamento com Jesus é o cristianismo em sua totalidade. Trata-se não apenas de saber a respeito de Jesus, nem mesmo de crer Nele, mas de ser em Cristo Jesus, de viver toda a vida nesse ambiente, de estar enraizado nesse chão.[37]

William Barclay, nessa mesma linha de pensamento, escreve:

> Ninguém que leia as cartas de Paulo passará por alto a freqüência das frases *em Cristo, em Cristo Jesus, no Senhor. Em Cristo Jesus* aparece 48 vezes, *em Cristo,* 34 vezes, e *no Senhor,* 50 vezes. Evidentemente, estar *em Cristo* constituía para Paulo a essência do cristianismo.

Citando Marvin Vincent, Barclay continua a dizer:

> Quando Paulo fala que o cristão está em Cristo, quer dizer que vive em Cristo como o pássaro no ar, o peixe na água, as raízes de uma árvore na terra. Estar *em Cristo* é viver continuamente na atmosfera e no espírito de Cristo; é viver em um mundo em que cada coisa nos fala Dele; é viver uma vida na qual nunca nos sentimos separados Dele nem por um só momento e de onde sempre nos sentimos rodeados e favorecidos por Sua presença, por Sua força e Seu poder. O cristão é diferente porque sempre e em todas as partes é consciente da presença de Cristo que o circunda.[38]

"Em Cristo" é o novo relacionamento em que o cristão vive. É em Cristo que recebemos a nossa salvação (3.14). Em Cristo, estamos seguros e temos todas as coisas de que precisamos (4.7,19). Em Cristo, nos tornamos um novo povo com novos sentimentos (1.8); recebemos uma nova mente ou uma nova maneira de ver as coisas (2.5). Em Cristo, recebemos um novo encorajamento para viver como cristãos (2.1) e novas habilidades para trazer esses incentivos à fruição (4.13). Estar em Cristo é tomar posse da plena salvação. Mas não apenas os benefícios que temos estão em Cristo, como também nós mesmos estamos Nele.[39]

Os santos estão em Filipos. A igreja pertence a dois mundos: o terreno e o celestial. Ela está em Cristo, mas também está em Filipos. Somos cidadãos de dois mundos. Pertencemos concomitantemente a dois reinos. Aqueles crentes tinham seus nomes arrolados no livro da vida (Fp 4.3) no céu, mas também seus nomes estavam arrolados na cidade de Filipos. Werner de Boor diz que é simultaneamente secundário e importante que esses "santos em Cristo Jesus", aos quais aqui se escreve, estejam "em Filipos". É secundário, pois o lugar e o ambiente de vida desses santos não é Filipos nem qualquer outra cidade, e muito menos este mundo, mas Cristo Jesus! Se mudassem para Roma ou Atenas, nada se alteraria em sua condição essencial de vida, continuariam sendo os mesmos "santos em Cristo Jesus".[40]

Paulo está dizendo que a igreja tem um endereço espiritual e outro geográfico. Ao mesmo tempo que a igreja está em Cristo, ela está em Filipos. Aqui a igreja enfrenta lutas, crises, dores, perseguição. Aqui há dor e lágrimas. Aqui o diabo fustiga e ataca os crentes. Aqui alguns tropeçam e caem. Aqui cruzamos vales sombrios, andamos por caminhos juncados de espinhos e atravessamos desertos causticantes. Entretanto, ao mesmo tempo estamos imperturbavelmente seguros em Cristo. Estamos assentados com Ele nas regiões celestes.

As bênçãos da carta

Destacamos três preciosas verdades aqui:

Em primeiro lugar, *a natureza da bênção*. Paulo saúda a igreja com a graça e a paz. O que essa saudação significa? O que Paulo está desejando à igreja? Qual é o conteúdo dessa bênção? Qual é a natureza da bênção solicitada pelo apóstolo? William Barclay diz que, quando Paulo adota e une estes dois grandes termos *graça* e *paz* (*caris* e *eirene*), realiza uma síntese maravilhosa. Toma a saudação de duas grandes nações e as refunde em uma. *Caris* é a saudação normal grega, com a qual começam todas as cartas. *Eirene* é a saudação normal dos hebreus, a expressão de cumprimento dos judeus quando se encontram. Cada uma dessas palavras tem seu próprio sabor e cada uma se faz mais intensa, mais profunda e infinitamente preciosa pelo novo significado que o cristianismo lhe confere.[41]

Graça e paz em uma única frase resultam em "salvação para o homem integral, tanto do corpo quanto da alma", e não apenas "prosperidade espiritual".[42]

O que é a graça? Caris é uma bela palavra que inclui as idéias básicas de alegria e deleite; de brilho e beleza.[43] Com Cristo, a vida se faz encantadora, pois o homem já não é escravo da lei, mas filho do amor de Deus. Pela graça, temos o encanto supremo de descobrir Deus como o nosso Pai. Assim, a graça é um dom imerecido. É o favor de Deus a pecadores. É a disposição de Deus dar o Seu melhor àqueles que merecem o pior. J. A. Motyer diz que graça é Deus sendo misericordioso a ponto de estender Seu favor imerecido àqueles que estão desesperançados e desamparados; amando-os livre e soberanamente, oferecendo-lhes gratuitamente o contrário do que merecem.[44]

O que é a paz? Eirene é uma palavra de enorme alcance. Ela nunca significa uma paz negativa; nunca implica a simples ausência de dificuldades. Paulo estava preso e ele saúda a Igreja com a paz. Paulo fala da paz que excede todo o entendimento (4.7) e também do Deus da paz (4.9). Nós temos paz com Deus, paz de Deus e o Deus da paz. Nessa mesma linha de pensamento, J. A. Motyer diz que *eirene* ou *shalom* é mais do que paz com Deus. No Antigo Testamento, paz, *shalom,* combina "harmonia", ou seja, paz com Deus e paz de Deus. De modo semelhante, no Novo Testamento, *eirene* fala de paz com Deus (Rm 5.1;

Cl 1.20) e também de paz de Deus (Mt 5.34; Rm 8.6; Gl 5.22; Cl 3.15). Assim, essa paz é tanto nossa experiência quanto nossa força em tempos difíceis (4.7; 2Ts 3.16).[45] Kent corretamente define "paz" aqui em Filipenses como a segurança e a tranqüilidade íntimas que Deus ministra ao coração dos crentes e os guarda espiritualmente confiantes e contentes no meio da tempestade.[46]

Eirene significa bem-estar total, algo que faz o bem-estar supremo do homem. Essa paz sempre tem que ver com as relações pessoais: a relação do homem com ele mesmo, com o próximo e com Deus. Essa é a paz que nasce da reconciliação.[47] A paz é uma bênção espiritual, física e material. É uma bênção temporal e eterna. Ela fala de um bem-estar completo.

Em segundo lugar, *o alvo da bênção.* Essas bênçãos mencionadas, *graça* e *paz,* são endereçadas aos membros da igreja de Filipos, quer líderes quer liderados. Todos os crentes podem e devem se apropriar da graça e da paz. Isso é mais do que uma saudação. Essas dádivas devem estar não apenas na nossa boca, mas no nosso coração. "Graça e paz" não deve ser apenas um cumprimento no início de uma carta ou na abertura de um culto, mas uma experiência gloriosa na jornada da vida.

Em terceiro lugar, *a fonte da bênção.* A graça e a paz vêm da parte de Deus, nosso Pai, e do Senhor Jesus Cristo. Somente Deus pode dar graça e paz. A atitude de Paulo a respeito de Jesus Cristo não é meramente a atitude de um homem para com outro homem, ou de um erudito para com outro mestre; mas a atitude de um homem para com Deus.[48] A preposição "de" governa ambos os nomes, revelando que Deus Pai e Jesus Cristo têm a mesma substância, a mesma natureza, o mesmo poder. Só Deus pode reconciliar o homem Consigo mesmo. Apenas Ele pode oferecer ao homem salvação. Essa bênção não provém de Paulo nem de qualquer líder ou concílio, mas de Deus Pai e do Senhor Jesus. A bênção não procede da igreja nem dos líderes da igreja, mas do Deus bendito que salvou a Igreja.

Notas do capítulo 1

[18] Barton, Bruce B. *Life application Bible commentary on Philippians, Colossians, & Philemon*, 1995: p. 17.

[19] Martin, Ralph P. *Filipenses: Introdução e comentário*, 1985: p. 72,73.

[20] Barclay, William. *Filipenses, Colosenses, I y II Tesalonicenses*, 1973: p. 15.

[21] Barclay, William. *Filipenses, Colosenses, I y II Tesalonicenses*, 1973: p. 15,16.

[22] Motyer, J. A. *The message of Philippians*, 1991: p. 32.

[23] Motyer, J. A. *The message of Philippians*, 1991: p. 24.

[24] Motyer, J. A. *The message of Philippians*, 1991: p. 24.

[25] Pidge, J. B. Gough. *Comentario sobre la Epistola a los Filipenses.* Casa Bautista de Publicaciones, 1973: p. 355.

[26] de Boor, Werner. *Carta aos Efésios, Filipenses e Colossenses*, 2006: p. 174.

[27] Barclay, William. *Filipenses, Colosenses, I y II Tesalonicenses*, 1973: p. 16.

[28] Motyer, J. A. *The message of Philippians*, 1991: p. 25.

[29] Martin, Ralph P. *Filipenses: Introdução e comentário*, 1985: p. 73.

[30] Motyer, J. A. *The message of Philippians*, 1991: p. 26.

[31] Barlow, George. *The preacher's complete homiletic commentary on Philippians.* Vol. 28. Baker Books. Grand Rapids, Michigan, 1996: p. 305.

[32] Pidge, J. B. Gough. *Comentario sobre a Epistola a los Filipenses*, 1973: p. 356.

[33] Martin, Ralph P. *Filipenses: Introdução e comentário*, 1985: p. 73.

[34] Caffin, B. C. *The pulpit commentary on Philippians.* Vol. 20. Eerdmans Publishing Company. Grand Rapids, Michigan, 1978: p. 2.

[35] Barton, Bruce B. *Life application Bible commentary on Philippians, Colossians, & Philemon*, 1995: p. 20,21.

[36] Martin, Ralph P. *Filipenses: Introdução e comentário*, 1985: p. 73.

[37] de Boor, Werner. *Carta aos Efésios, Filipenses e Colossenses*, 2006: p. 175.

[38] Barclay, William. *Filipenses, Colosenses, I y II Tesalonicenses*, 1973: p. 17.

[39] Motyer, J. A. *The message of Philippians*, 1991: p. 27.

[40] de Boor, Werner. *Carta aos Efésios, Filipenses e Colossenses*, 2006: p. 175.

[41] Barclay, William. *Filipenses, Colosenses, I y II Tesalonicenses*, 1973: p. 18.

[42] Foerster, W. *Theological Dictionary of the New Testament*, 1964: p. 414.

[43] Barclay, William. *Filipenses, Colosenses, I y II Tesalonicenses*, 1973: p. 18.

[44] Motyer, J. A. *The message of Philippians*, 1991: p. 29.

[45] Motyer, J. A. *The message of Philippians*, 1991: p. 30.

[46] Kent, H. A. *Expositor's Bible.* Ed. F. A. Gaeblin. Vol. 11. Pickering and Inglis, 1978: p. 104.

[47] Barclay, William. *Filipenses, Colosenses, I y II Tesalonicenses*, 1973: p. 18,19.

[48] Machen, J. G. *The origin of Paul's Religion.* Eerdmans. Grand Rapids, Michigan, 1925: p. 198.

Capítulo 2

Uma oração transbordante de amor

(Fp 1.3-11)

PAULO ESTÁ IMPEDIDO DE visitar as igrejas, mas pode orar por elas. Ele não pode falar de Deus a todos os homens, mas pode falar livremente com Deus a favor dos homens. Destacamos dois pontos iniciais:

Em primeiro lugar, *Paulo está preso, mas a Palavra não está algemada.* Paulo é prisioneiro de Cristo, e não de César. Sua agenda é dirigida por Deus, e não pelos homens. As circunstâncias podem estar fora do seu controle, mas jamais fora do controle de Deus. Os homens podem colocar algemas nele, mas jamais aprisionar a Palavra de Deus. Paulo está preso, mas a Palavra está livre. Paulo tem limitações geográficas, mas a Palavra tem livre curso nos corações.

Em segundo lugar, *Paulo está impedido de ter comunhão com os irmãos, mas não de orar por eles.* A oração toca o mundo. A oração desconhece limites geográficos, barreiras étnicas ou culturais. Um crente de joelhos pode influenciar o mundo inteiro. Na Sua soberania, Deus estabeleceu agir na História em resposta às orações do Seu povo.

Paulo está impedido de viajar até Filipos, mas as suas orações sobem aos céus a favor dos crentes de Filipos. Pela oração, Paulo influencia e abençoa os crentes de Filipos.

Warren Wiersbe, sintetizando esse parágrafo, diz que em Filipenses 1.1-11 Paulo usa três idéias que descrevem a verdadeira comunhão cristã: A presença na memória (1.3-6), a presença no coração (1.7,8) e a presença nas orações (1.9-11).[49] Vamos examinar este texto e extrair algumas lições importantes.

Uma recordação cheia de gratidão (1.3)

Destacamos dois pontos:

Em primeiro lugar, *recordações que trazem gratidão* (1.3). Há recordações que ferem o coração, abatem o espírito e provocam grande dor. Há reminiscências amargas e lembranças dolorosas. Há memórias que só trazem à tona a desesperança. No entanto, quando Paulo volta ao passado e se lembra da igreja de Filipos, seu peito enche-se de doçura, e a sua alma é inundada de grande gratidão.

Na cidade de Filipo Paulo foi preso, açoitado ilegalmente com varas, jogado num calabouço, colocado no tronco e humilhado diante do povo. Contudo, nessa mesma cidade, Paulo plantou uma igreja que foi a coroa da sua alegria (4.1). Nessa cidade, Paulo organizou uma igreja que se tornou a maior parceira do seu ministério. A igreja de Filipos sustentou Paulo em Tessalônica (4.15,16), em Corinto (2Co 11.9) e em Roma (4.18).

Bruce B. Barton diz que a igreja de Filipos trouxe a Paulo muita alegria e pouca dor.[50]

Em segundo lugar, *recordações que produzem glória ao nome de Deus* (1.3). Paulo não está grato apenas pelo que recorda, mas glorifica a Deus por tudo aquilo que vem à sua memória. Ele dá graças a Deus. A experiência horizontal desemboca em uma doxologia vertical. Não há nenhum fato vivido na igreja que arranque lágrimas de tristeza no apóstolo; ao contrário, tudo que ele traz à sua memória; o conduz a um efusivo cântico de louvor a Deus. Certamente Paulo lembra-se de como Deus abriu o coração de Lídia para ela crer e como depois abriu o seu lar para acolher os obreiros. Certamente vem à mente de Paulo como Deus abriu as portas da prisão de Filipos, onde ele e Silas estavam encarcerados, e como o carcereiro abriu as portas da sua casa para cuidar dele e de Silas. Em Filipos, Paulo viu a mão poderosa de Deus trabalhando na igreja e por intermédio dela.

Uma intercessão cheia de alegria (1.4)

Destacamos quatro características dessa intercessão:

Em primeiro lugar, *uma intercessão contínua* (1.4). Paulo é um obreiro incansável. Ele vive intensamente tudo quanto faz. Está preso, mas o seu coração está focado não em si ou em suas necessidades, mas na vida e necessidades de outras pessoas. Ele não ora esporadicamente, mas sem cessar, sempre, em todo tempo. Esse veterano anda antenado com o céu. Ele tem seu coração voltado para Deus e para a igreja.

As palavras "fazendo sempre [...] súplicas" estão no tempo presente, significando que Paulo orava por eles continuamente. Paulo plantou igrejas e continuou a orar por elas durante todo o seu ministério. Ralph Martin diz que enquanto os filipenses lembraram-se de Paulo em suas necessidades, Paulo se lembrou deles em suas orações.[51]

Em segundo lugar, *uma intercessão abrangente* (1.4). Ele ora por todos os crentes da igreja. Não se envolve apenas com uma parcela. Seu carinho não é dirigido apenas a uma elite da igreja, mas ele derrama a sua alma a favor de todos os membros da igreja. Ele não faz acepção de pessoas. Paulo usa a expressão "todos vós", referindo-se diretamente a todos os seus leitores em pelo menos nove ocasiões. Ele não deixa ninguém de fora.

Em terceiro lugar, *uma intercessão humilde* (1.4). Paulo se aproxima de Deus em todas as suas orações fazendo súplicas. Ele pede. Expõe as causas do povo na presença de Deus. Apresenta as necessidades do povo diante do trono da graça. Humildemente, chega como um suplicante diante do Pai para rogar pela igreja. Quanto mais intimidade com Deus, tanto mais humildade diante dele. Quanto mais ousadia na oração, tanto mais dependência da graça. Nenhum homem pode conhecer a Deus e ainda permanecer altivo e soberbo. Paulo levantou-se diante de reis, pois primeiro aprendeu a curvar-se diante do Rei dos reis.

Em quarto lugar, *uma intercessão alegre* (1.4). A Carta aos Filipenses é chamada "a carta da alegria". A alegria reflete um correto relacionamento com Deus. Podemos sentir alegria nas provas, pois sabemos que Deus está no controle. Essa epístola pode ser sintetizada em duas expressões: "eu me regozijo" e "alegrai-vos". William Barclay alista dez razões para a alegria nessa carta:[52]

A alegria da oração cristã (1.4). Essa é a alegria de levar as pessoas que amamos ante ao trono da graça de Deus.

A alegria de ver Jesus sendo proclamado (1.18). Há grande deleite em saber que o evangelho está sendo pregado em todo o mundo.

A alegria da fé (1.25). Se a fé cristã não é capaz de fazer um homem feliz, não há nada mais que possa fazê-lo.

A alegria de ver os cristãos unidos (2.2). Não há paz na igreja quando as relações humanas se rompem e o crente está em litígio com o seu irmão.

A alegria do sofrimento por Cristo (2.17). Paulo se alegra em sofrer por Cristo, se esse sofrimento traz bênção para outras pessoas. No momento do seu martírio, ao ser queimado na estaca, Policarpo orou, dizendo: "Dou-te graças, Pai, porque me consideras digno desta hora".

A alegria do encontro com a pessoa amada (2.28). A vida está cheia de separações, e sempre há contentamento quando temos notícias de pessoas que amamos. Os crentes de Filipos seriam banhados pelo óleo da alegria ao receberem de volta Epafrodito.

A alegria da hospitalidade cristã (2.29). Há lares de portas fechadas e lares de portas abertas. É maravilhoso ter uma porta aberta, onde você sabe que jamais será rechaçado.

A alegria de estar em Cristo (3.1). Estar em Cristo é viver em Sua presença como o pássaro no ar, como o peixe na água e como as raízes da árvore na terra.

A alegria de ter ganhado uma alma para Cristo (4.1). Para o cristão, a evangelização não é um dever, mas uma alegria.

A alegria na dádiva recebida (4.10). Ser alvo da generosidade de outrem é um motivo de grande alegria.

Um agradecimento cheio de entusiasmo (1.5-8)

Paulo manifesta o seu agradecimento da seguinte maneira:

Em primeiro lugar, *pela cooperação no evangelho* (1.5). Os cristãos são participantes na obra do evangelho. Não só participam de um dom (graça), mas também de uma tarefa que é a promoção do evangelho. Algumas verdades podem ser aqui destacadas:

O que é ser um cooperador no evangelho? Embora Deus seja Aquele que realiza todas as coisas com respeito à salvação do pecador, somos os Seus cooperadores nessa bendita obra. É Deus quem abre o coração, mas é a igreja que prega a Palavra. É Deus quem levanta os obreiros, mas é a igreja que os sustenta. É Deus quem dirige a agenda missionária da igreja, mas é a igreja que dá suporte aos missionários.

A palavra usada por Paulo aqui é *koinonia,* dando a idéia de que os filipenses eram cooperadores no evangelho por meio das generosas e importantes contribuições ao ministério de Paulo a fim de que a mensagem do evangelho fosse espalhada. Os filipenses não apenas aplaudiram os esforços de Paulo na divulgação do evangelho; eles se envolveram em seu ministério por intermédio da comunhão com ele e pelo suporte financeiro a ele.[53]

Ralph Martin esclarece que *koinonia,* em Paulo, nunca se refere a um jugo que une os crentes, mas à participação em um assunto, isenta de experiência subjetiva; uma "realidade objetiva", como ele a denomina. Os filipenses repetidamente mostraram interesse pelo evangelho, por meio de sua contínua ajuda a Paulo.[54]

Como a igreja tornou-se cooperadora no evangelho? A igreja de Filipos não apenas permaneceu firme e fiel, apesar da pobreza e da perseguição, mas jamais perdeu a doçura nem o amor pelos obreiros e pelos demais irmãos, mesmo por aqueles que jamais viram (2Co 8.1-4).

Quando a igreja tornou-se cooperadora no evangelho? Paulo diz: "...desde o primeiro dia até agora". A igreja acolheu Paulo no seu início, por intermédio da casa de Lídia. A igreja socorreu Paulo no começo do seu ministério em Tessalônica (4.15,16). A igreja sustentou Paulo em Corinto (2Co 11.9). A igreja sustentou Paulo em Roma (4.18).

Em segundo lugar, *pela segurança da salvação* (1.6). J. A. Motyer entende que a segurança da salvação é o tema central de toda essa passagem, desde o versículo 3.[55] Destacamos cinco verdades importantes:

A convicção da salvação. Paulo diz: "Estou plenamente certo...". Esta não é uma questão da possibilidade hipotética, mas da certeza experimental. Paulo não tem uma vaga sugestão acerca da segurança da salvação, mas uma convicção inabalável. Nada nesta vida nem depois da morte pode interromper ou frustrar a obra de Deus em nós (Rm 8.26-39).

O agente da salvação. O apóstolo afirma: "Aquele que começou boa obra em vós...". Ele aponta Deus como o agente da salvação. A salvação é uma obra exclusiva de Deus. Foi Deus quem planejou a salvação. É Ele quem escolhe, quem abre o coração, quem chama, quem regenera, quem dá o arrependimento para a vida, quem dá a fé salvadora, quem justifica, quem santifica e quem glorifica.

A natureza da salvação. Paulo define a salvação como "boa obra" de Deus em nós. A salvação não é apenas algo que Deus realiza por nós, mas, sobretudo, em nós. Antes de nos levar para a glória, Ele nos transforma à imagem do Rei da glória.

A dinâmica da salvação. O mesmo Deus que começou essa boa obra em nós vai completá-la. Deus jamais deixou uma obra inacabada. Ele jamais deixou um projeto no meio do caminho. Nossa salvação ainda não está acabada, pois Deus ainda está trabalhando em nós. Há três tempos distintos na salvação: Quanto à justificação, já fomos salvos. Com respeito à santificação, estamos sendo salvos. Contudo, com respeito à glorificação, seremos salvos.

William Barclay diz que há aqui na linguagem grega uma figura que não é possível reproduzir na tradução. O problema está nas palavras que Paulo usa para *começar* (*enarquesthai*) e para *completar* (*epitelein*); ambas são termos técnicos para indicar o começo e o final de um sacrifício. Assim, Paulo considera a vida de cada cristão como um sacrifício preparado para oferecer-se a Jesus Cristo na Sua gloriosa vinda.[56] Esse verbo grego usado aqui tem a idéia de "inaugurar", e o tempo verbal usado acentua um ato decisivo e deliberado, mostrando que a nossa salvação foi planejada e executada por Deus com vistas à perfeição. Isso pode ser ilustrado por meio da conversão de Lídia. Não foi ela quem simplesmente pôs sua confiança em Cristo, mas foi Deus quem lhe abriu o coração para crer em Cristo. A salvação é uma obra inaugurada pelo próprio Deus.[57]

A consumação da salvação. Essa obra de Deus em nós caminha para uma consumação, que se dará no dia de Cristo Jesus. Deus jamais desiste de nós. Ele jamais deixará essa obra incompleta. Os que Ele conheceu de antemão, os predestinou; aos que predestinou, também chamou; aos que chamou, também justificou; e aos que justificou, também glorificou. A perseverança da salvação depende de Deus. Porque Ele não pode mentir e as Suas promessas são fiéis e verdadeiras, podemos ter a garantia de que a nossa salvação não é apenas uma vaga possibilidade, mas uma certeza inabalável. Na mente e nos decretos de Deus, a nossa salvação já está consumada (Rm 8.30). Aqui ainda gememos sob o peso do pecado. Aqui ainda vivemos em um corpo de fraqueza. Aqui ainda somos um ser ambíguo e contraditório. Aqui ainda tropeçamos em muitas coisas. Contudo, quando Cristo voltar em glória, seremos transformados. A volta de Jesus e a consumação da nossa salvação são uma agenda firmada pelo Pai, e Ele a levará a bom termo. Então, teremos um corpo de glória, semelhante ao corpo de Cristo, e não haverá mais dor, nem pranto, nem morte. Werner de Boor descreve essa consumação da nossa salvação, como segue:

> Deus não é alguém que começa uma boa obra e a abandona no meio do caminho. A trajetória não vai rumo a uma história incerta, cujo alvo e desfecho se perdem na névoa. A história do mundo possui um alvo claro: o dia de Deus! A história da Igreja tem um alvo claro: o dia de Cristo! A Igreja, então, estará ressuscitada, arrebatada, presenteada com um novo corpo, unida para sempre com o cabeça e vivendo na união de seus membros, ela estará aperfeiçoada.[58]

A segurança de Paulo em relação aos crentes de Filipos deve-se ao fato de que eles são fruto da obra de Deus. Se há alguma coisa digna de louvor neles, Deus é o Seu autor. No versículo 6, Paulo os vê como uma obra de Deus iniciada, continuada e completada. No versículo 7, eles produzem fruto, pois são participantes da graça de Deus. Deus está trabalhando neles, e onde Deus trabalha, Ele certamente completa a obra.[59]

Em terceiro lugar, *pela estreita relação fraternal* (1.7,8). Paulo destaca três coisas aqui:

Paulo os traz no coração (1.7,8). Paulo traz os crentes de Filipos no coração de três maneiras:

Primeiro, no sofrimento pelo evangelho, ou seja, nas algemas. Essa igreja, como nenhuma outra, foi solidária a Paulo em suas prisões. Ela foi um bálsamo para o velho apóstolo nas suas horas mais difíceis.

Segundo, na obra do evangelho, ou seja, na defesa e confirmação do evangelho. Paulo foi tanto um apologeta quanto um missionário. Ele anunciava a verdade e a defendia diante dos ataques dos heréticos. A defesa (*apologia*) do evangelho se refere aos ataques que vêm de fora, procedentes dos argumentos e assaltos dos inimigos do cristianismo. O cristão deve estar disposto a ser um defensor da fé e a dar razões da esperança que possui (2Co 7.11). A confirmação (*bebaiosis*) do evangelho consiste na edificação que se opera por sua força aos que estão dentro da igreja.[60]

Terceiro, na compaixão de Cristo (1.8). William Barclay diz que no versículo 8 Paulo usa uma expressão muito gráfica: "a saudade que tenho de vós, na terna misericórdia de Cristo Jesus". A palavra grega para saudade é *splagcna.* Este termo define as entranhas superiores, o coração, o fígado e os pulmões. Os gregos colocavam aqui o centro das emoções e dos afetos. Assim, o que Paulo está dizendo é que suspira pelos crentes de Filipos com a mesma compaixão de Jesus Cristo. Ele os ama como Jesus os ama. O amor que Paulo sente pelos filipenses não é outro senão o mesmo amor de Cristo.[61] O crente não tem outro sentimento que não o de Cristo; seu pulso bate com o pulso de Cristo; seu coração palpita com o coração de Cristo. O amor de Cristo passa por nós aos nossos irmãos. Nessa mesma linha de pensamento, Bruce B. Barton diz que a afeição de Paulo pelos filipenses era tão forte que era mais profunda do que mera emoção humana; era como a própria afeição de Cristo por meio dele. A palavra "saudade" ou "afeição" usada por Paulo é a tradução literal de "vísceras". Isso fala de fortes sentimentos íntimos, que brotam das entranhas.[62]

Paulo os traz na mente (1.3,8). A recordação é uma faculdade da memória. Esses crentes povoavam a mente de Paulo. Eles moravam na mente do veterano apóstolo. Paulo sente saudade desses irmãos com tamanha intensidade que chega a dizer que os ama com o coração de Cristo. A palavra grega traduzida por "pense" no versículo 7 (*phronein*) é usada por Paulo 23 vezes nessa carta. Essa palavra significa mais do que simplesmente afeição ou reação emocional; ela vai mais fundo, mostrando uma especial preocupação, baseada nos melhores interesses das outras pessoas. Esses crentes de Filipos tinham um lugar especial no coração de Paulo.[63] Nessa mesma linha de pensamento, Ralph Martin diz que *phronein* significa uma combinação de atividades intelectuais e afetivas, que toca tanto a mente quanto o coração, e conduz a uma ação positiva.[64]

Paulo os traz nas orações (1.4,9). Quem ama, ora. A forma mais efusiva de demonstrar amor por alguém é interceder por ele. Paulo jamais esteve tão ocupado a ponto de não poder se dedicar à oração. Ele nunca esteve tão ocupado com a Igreja a ponto de não ter tempo para Deus. Ele jamais esteve tão envolvido com a terra a ponto de não ter tempo para o céu. Paulo nunca separou o ministério da pregação do ministério da intercessão.

Uma oração cheia de fervor (1.9-12)

J. A. Motyer diz que essa oração de Paulo é, sobretudo, uma oração por crescimento.[65] Destacamos alguns pontos dessa oração de Paulo:

Em primeiro lugar, *amor, mais amor* (1.9). Paulo não escreve aos filipenses como a um povo que tem falta de amor e precisa rogar por ele, mas como um povo que possui amor e precisa fazê-lo crescer. Tão logo Lídia tornou-se cristã, ela abriu a sua casa para o apóstolo Paulo. Tão logo o carcereiro de Filipos se converteu, ele tratou de Paulo e abriu-lhe sua casa. Quando precisou sair de Filipos, essa igreja logo se envolveu com Paulo no sentido de sustentá-lo, e isso ela o fez ao longo do ministério do veterano apóstolo.[66] Em nossa condição de cristãos, há algo capaz de crescer sem limites: o amor.[67]

É digno observar que Paulo não pede prosperidade, uma vez que eles eram pobres, nem pede livramento, uma vez que eles eram perseguidos, mas pede que eles avancem na escalada do amor. Não há limites para o crescimento do amor.

Em segundo lugar, *de que maneira cresce o amor?* (1.9b). Quando perguntamos em que caminhos o amor pode crescer mais e mais, a resposta é que o crescimento do amor é controlado e dirigido pelo conhecimento e discernimento.[68] Werner de Boor afirma:

> *Ágape*, o amor na afeição de Cristo, interessa-se realmente pelo outro, deseja ajudá-lo, levá-lo ao alvo. Por isso esse amor precisa de "conhecimento", de percepção clara da natureza e da situação do outro, percepção clara dos meios pelos quais de fato se pode ajudá-lo exterior e interiormente.[69]

J. A. Motyer diz que a palavra traduzida por "conhecimento" (*epignósis*) ocorre 21 vezes no Novo Testamento, sempre se referindo ao conhecimento das coisas de Deus, ou seja, é um conhecimento religioso, espiritual e teológico. Segundo Motyer, esse conhecimento tem quatro aspectos:

Primeiro, esse conhecimento é o meio da salvação, pois salvação é descrita como "conhecer a verdade" (1Tm 2.4; 2Tm 2.25; Hb 10.26). Segundo, o conhecimento é uma marca do próprio cristão (1Pe 1.2). Terceiro, o conhecimento é uma das evidências do crescimento cristão (Cl 1.10; 2.2; 3.1-10; 2Pe 1.8). Quarto, o conhecimento é o estado do cristão que atingiu a plena maturidade (Ef 4.13).[70]

O amor não é cego nem apenas um sentimento. Ele deve aumentar em pleno conhecimento e em toda a percepção. William Barclay diz:

> O amor é sempre o caminho do conhecimento. Quando amamos algo, desejamos saber cada vez mais acerca dele; se amarmos uma pessoa, desejaremos saber cada vez mais a respeito dela. Se amarmos Jesus, desejaremos conhecê-Lo mais e mais.[71]

O amor não é um sentimentalismo piegas, mas uma atitude nutrida pelo conhecimento e pela percepção.

J. A. Motyer sintetiza assim esse ponto:

> Crescemos na proporção em que conhecemos. Sem conhecimento da salvação, não haverá progresso rumo à maturidade. Se não conhecermos o Senhor, como poderemos amá-Lo? No entanto, quanto mais o conhecemos, tanto mais o amamos [...] A verdade é um ingrediente essencial na experiência cristã. Sendo assim, todo cristão deve ser um estudante, pois para ser um cristão é preciso conhecer a verdade. Crescer como um cristão é crescer na verdade. Nada impede tanto o crescimento quanto a ignorância.[72]

Em terceiro lugar, *para que o amor deve crescer?* (1.10). Paulo lista três razões pelas quais o amor deve crescer em todo o conhecimento e em toda a percepção:

Para os crentes aprovarem as coisas excelentes. O discernimento deve levar os crentes a escolherem as coisas boas e a rejeitarem as más. A palavra que Paulo usa para *provar* (*dokimazein*) é um termo para provar o metal ou a moeda, com o fim de verificar se é genuíno, puro, sem mescla nem falsificação.[73] Ralph Martin diz que esse verbo *provar* significa "pôr sob teste" (1Ts 5.21) e depois "aceitar quando testado", ou "aprovar". Como termo comercial, era usado para denotar o teste de moedas. As "aprovadas" eram dinheiro genuíno, não-falsificado.[74]

Para os crentes serem sinceros e inculpáveis. Um amor maduro desemboca em sinceridade e inculpabilidade. Se sinceridade tem que ver com a vida íntima, a inculpabilidade tem que ver com a vida pública. Paulo usa um termo grego muito sugestivo aqui para descrever a palavra "sincero". A palavra *eilikrines* usada por Paulo pode significar duas coisas. Pode provir de *eile,* que significa "luz solar", e de *krinein,* que significa "julgar". A combinação dos termos descreve o que é capaz de passar pela prova da luz solar; o que pode ser exposto ao sol, sem que apareça falta alguma. Contudo, *eilikrines* pode derivar-se de *eilein,* que significa "girar rapidamente como quando se move uma peneira para tirar as impurezas". O ato de "girar em uma peneira" sugere a idéia de separar a palha do trigo. Se esse é o significado, então isso significa que o cristão está puro, isento de toda contaminação. Ralph Martin diz que essa palavra *eilikrines* denota pureza moral, e não ritual.[75] Warren Wiersbe diz que o cristão sincero não tem medo de ser exposto à luz.[76] Na língua portuguesa, o adjetivo "sincero" vem do latim *sinceru,* que significa "sem mistura, não adulterado, puro".[77]

A palavra que Paulo usa para "inculpáveis" é *aproskopos,* dando a idéia de que o cristão jamais se converte em causa de tropeço para outra pessoa. Assim, o cristão é em si mesmo puro, mas com um amor e uma bondade de tal índole que atrai os demais à vida cristã e jamais causa repulsa.[78]

Para os crentes estarem preparados para a segunda vinda de Cristo. Devemos viver hoje como se Cristo fosse voltar amanhã. Vivemos à luz da eternidade. A esperança da segunda vinda de Cristo nos motiva à santidade. Werner de Boor diz:

> No Novo Testamento esse futuro é o elemento decisivo ao qual se volta todo o pensar e agir. A atualidade sempre é apenas "caminho", inteiramente determinado pelo alvo. O esperado "dia de Cristo" virá, e a relevância total então será que a Igreja seja "pura e decorosa". No entanto, para sê-lo então, já precisa sê-lo agora.[79]

Em quarto lugar, *como o amor deve se manifestar?* (1.11). Estamos a caminho do céu para prestarmos contas da nossa vida e não devemos comparecer diante de Cristo de mãos vazias, mas nos apresentar a Ele cheios do fruto de justiça. De forma alguma, Paulo vê, naquele dia, a Igreja pobre e de mãos vazias diante de Cristo, mas "cheia do fruto de justiça". A palavra "justiça" é tomada aqui no sentido de justiça prática, interna, e não no de justificação.[80]

Em quinto lugar, *qual é a fonte do fruto de justiça?* (1.11b). O fruto de justiça é por meio de Jesus Cristo. Não produzimos frutos por nós mesmos. O fruto não é produção própria da Igreja. A seiva que nos faz frutificar é Cristo. Dele vêm a força e o poder. O que existe de bom em nós é obra de Cristo.

Em sexto lugar, *qual é o propósito final da apresentação do fruto de justiça no dia de Cristo?* (1.11c). O propósito final da vida do cristão é a glória e o louvor de Deus. Tudo vem Dele, por meio Dele e para Ele. Deus é o fim último de todas as coisas. O cristão não é bom porque pretende ganhar louvor, crédito, honra e prestígio para si mesmo, senão para Deus.

J. A. Motyer conclui o comentário dessa sublime oração de Paulo dizendo que o Pai (no versículo 6) está incessantemente trabalhando para a glória do Filho; o Filho (no versículo 11) está incessantemente trabalhando para a glória do Pai.[81]

Notas do capítulo 2

[49] Wiersbe, Warren W. *Comentário bíblico expositivo.* Vol. 6, 2006: p. 81.

[50] Barton, Bruce B. et all. *Life application Bible commentary on Philippians, Colossians, & Philemon.* 1995: p. 23.

[51] Martin, Ralph P. *Filipenses: Introdução e comentário*, 1985: p. 76.

[52] Barclay, William. *Filipenses, Colosenses, I y II Tesalonicenses.* Vol. 11, 1973: p. 20-22.

[53] Barton, Bruce B. et all. *Life application Bible commentary on Philippians, Colossians, & Philemon*, 1995: p. 25.

[54] Martin, Ralph P. *Filipenses: Introdução e comentário*, 1985: p. 77.

[55] Motyer, J. A. *The message of Philippians*, 1991: p. 43.

[56] Barclay, William. *Filipenses, Colosenses, I y II Tesalonicenses.* Vol. 11, 1973: p. 22.

[57] Motyer, J. A. *The message of Philippians*, 1991: p. 43.

[58] de Boor, Werner. *Carta aos Efésios, Filipenses e Colossenses*, 2006: p. 180.

[59] Motyer, J. A. *The message of Philippians*, 1991: p. 48.

[60] Barclay, William. *Filipenses, Colosenses, I y II Tesalonicenses.* Vol. 11, 1973: p. 24.

[61] Barclay, William. *Filipenses, Colosenses, I y II Tesalonicenses.* Vol. 11, 1973: p. 24.

[62] Barton, Bruce B. et all. *Life application Bible commentary on Philippians, Colossians, & Philemon*, 1995: p. 30.

[63] Barton, Bruce B. et all. *Life application Bible commentary on Philippians, Colossians, & Philemon*, 1995: p. 29.

[64] Martin, Ralph P. *Filipenses: Introdução e comentário*, 1985: p. 78.

[65] Motyer, J. A. *The message of Philippians*, 1991: p. 51.

[66] Motyer, J. A. *The message of Philippians*, 1991: p. 55.

[67] de Boor, Werner. *Carta aos Efésios, Filipenses e Colossenses*, 2006: p. 181.

[68] Motyer, J. A. *The message of Philippians*, 1991: p. 56.

[69] de Boor, Werner. *Carta aos Efésios, Filipenses e Colossenses*, 2006: p. 183.

[70] Motyer, J. A. *The message of Philippians*, 1991: p. 56.

[71] Barclay, William. *Filipenses, Colosenses, I y II Tesalonicenses.* Vol. 11, 1973: p. 25.

[72] Motyer, J. A. *The message of Philippians*, 1991: p. 57.

[73] Barclay, William. *Filipenses, Colosenses, I y II Tesalonicenses.* Vol. 11, 1973: p. 25.

[74] Martin, Ralph P. *Filipenses: Introdução e comentário*, 1985: p. 81.

[75] Martin, Ralph P. *Filipenses: Introdução e comentário*, 1985: p. 82.

[76] Wiersbe, Warren W. *Comentário bíblico expositivo.* Vol. 6, 2006: p. 84.

[77] Wiersbe, Warren W. *Comentário bíblico expositivo.* Vol. 6, 2006: p. 84.

[78] Barclay, William. *Filipenses, Colosenses, I y II Tesalonicenses.* Vol. 11, 1973: p. 26.

[79] de Boor, Werner. *Carta aos Efésios, Filipenses e Colossenses*, 2006: p. 184.

[80] Bonnet, L. y Schroeder, A. *Comentario del Nuevo Testamento. Tomo 3*, 1982: p. 542.

[81] Motyer, J. A. *The message of Philippians*, 1991: p. 61.

Capítulo 3

Vivendo na perspectiva de Deus

(Fp 1.12-18)

À GUISA DE INTRODUÇÃO, destacamos dois pontos sublimes:

Em primeiro lugar, *vivemos na perspectiva de Deus quando sabemos que o evangelho é mais importante que a nossa liberdade.* Paulo está preso, mas o evangelho está livre. O evangelho é mais importante que o obreiro. A divulgação do evangelho é mais importante que a vida do obreiro. Paulo foca sua atenção não em si, mas na proclamação do evangelho. Todo esse parágrafo gira em torno não de Paulo, de suas cadeias, de seus críticos, mas do evangelho. O evangelho é o oxigênio que Paulo respira. Não importam as circunstâncias, contanto que o evangelho seja anunciado. Não importa se o obreiro vive ou morre, contanto que Cristo seja engrandecido na sua vida ou na sua morte (1.20).

Em segundo lugar, *vivemos na perspectiva de Deus quando sabemos que o evangelho é o maior presente de Deus para a humanidade.* Paulo define o evangelho de três formas:

O evangelho é a boa-nova para a humanidade (1.12). Neste mundo onde reina violência, corrupção, desespero, confusão filosófica e multiplicidade de conceitos religiosos, o evangelho é a boa-nova de Deus, do Seu amor e propósito eterno de salvar o pecador por meio de Jesus Cristo.

O evangelho é a proclamação da Palavra de Deus (1.14). A Palavra de Deus é inspirada, inerrante, infalível e suficiente. Não há erros nela, pois o Seu autor não pode falhar. Não há necessidade de acrescentar mais nada a ela, pois ela é suficiente. O missionário brasileiro Ronaldo de Almeida Lidório relata que uma mulher konkomba, em Gana, na África, após passar uma semana aprendendo a Palavra de Deus na igreja de Coni, retornou à sua aldeia. Depois de três dias de viagem a pé, esqueceu-se de um versículo aprendido. Ela retornou para decorar novamente a porção esquecida. Quando o missionário Ronaldo falou para ela que não precisava ter feito tamanho sacrifício de viajar três dias para decorar apenas um versículo, ela respondeu: "A Palavra de Deus é muito importante para se perder pelo caminho".

O evangelho é a revelação da Pessoa de Jesus Cristo (1.18). O evangelho é a boa-nova acerca da Pessoa de Jesus. Ele é o conteúdo do evangelho. O âmago do evangelho é que Deus amou o mundo de tal maneira que deu o Seu Filho Unigênito para morrer pelos pecadores, para que eles tenham a vida eterna.

Olhando para o passado com discernimento (1.12)

Quatro verdades merecem ser destacadas:

Em primeiro lugar, *Paulo não se concentra no seu sofrimento com autopiedade.* Paulo estava preso, algemado, impedido de viajar, de visitar as igrejas e de abrir novos campos. Ao escrever, porém, à igreja de Filipos, não enfatiza os seus sofrimentos, mas o progresso do evangelho. A Palavra é mais importante que o obreiro. O vaso é de barro, mas o conteúdo do vaso é precioso. O que importa não é o bem-estar do obreiro, mas o avanço do evangelho.

Em segundo lugar, *Paulo faz uma leitura do passado pela ótica da soberania de Deus.* Paulo passara por muitas lutas até chegar a Roma. Ele foi perseguido, açoitado e preso, mas em momento algum perdeu de vista a direção soberana de Deus em todos esses acontecimentos.

Ele não considerou os seus sofrimentos como fruto do acaso. Paulo não acreditava em casualidade nem no determinismo. Ele sabia que a mão soberana da Providência guiava o seu destino e que os seus sofrimentos estavam incluídos nos planos do Eterno para o cumprimento de propósitos mais elevados.

Ele não considerou os seus sofrimentos meramente como perseguição dos homens. Paulo foi certamente perseguido, odiado, caluniado, açoitado, enclausurado, mas jamais viu os seus adversários como agentes autônomos nessa empreitada. Ele sempre olhou para os acontecimentos na perspectiva da soberania e do propósito de Deus.

Ele não considerou os seus sofrimentos como expressão da fúria de Satanás. Embora Satanás tenha intentado contra ele, jamais Paulo o considerou como o agente de seus sofrimentos. Quem estava no comando de sua agenda não era o inimigo, mas Deus. Quem determinava o rumo dos acontecimentos na agenda missionária da Igreja era Deus. Ele via os acontecimentos como um plano sábio de Deus para o cumprimento de um propósito glorioso, ou seja, o progresso do evangelho.

Em terceiro lugar, *Paulo olha para o passado e vê um propósito divino em tudo que lhe aconteceu.* O que aconteceu com Paulo, que contribuiu para o progresso do evangelho? Quais foram os fatos que estão incluídos nesses acontecimentos? Podemos fazer uma viagem rumo ao passado na trajetória desse bandeirante do cristianismo e observar alguns pontos:

Primeiro, ele foi perseguido em Damasco (At 9.23-25). Após converter-se na capital da Síria, Paulo anunciou Jesus nessa cidade (At 9.20,21). Dali foi para a região da Arábia, onde ficou cerca de três anos, fazendo uma reciclagem em sua teologia (Gl 1.15-17). Voltou a Damasco (Gl 1.17) e, agora, não apenas prega, mas demonstra meticulosamente que Jesus é o Cristo (At 9.22). Então, em vez de ser acolhido, é perseguido. Precisa fugir da cidade para salvar a sua vida (At 9.23-25). Essa perseguição deve ter sido um duro golpe para Paulo.

Segundo, ele foi rejeitado em Jerusalém (At 9.26-28). Quando chegou a Jerusalém, na igreja-mãe, os apóstolos não confiaram nele. Paulo, então, sentiu a dor de ser rejeitado. A aceitação é uma necessidade básica da vida humana. Ninguém pode viver saudavelmente sem amor. Não somos uma ilha. Foi então que apareceu Barnabé, o filho da consolação, para abraçá-lo, valorizá-lo e integrá-lo na vida da Igreja (At 9.27).

Terceiro, ele foi dispensado do campo pelo próprio Deus (At 22.17-21). No apogeu da sua empolgação, no auge do seu trabalho, Deus mesmo aparece a ele em sonhos e o dispensa da obra. Deus o manda arrumar as malas e sair de Jerusalém. Paulo não entende e discute com Deus. Para ele, Deus estava cometendo um erro estratégico, tirando-o de cena. Deus, porém, não muda; é Paulo quem precisa mudar e mudar-se. Diz o texto sagrado, em Atos 9.31, que, quando Paulo arrumou as malas e foi embora, a igreja passou a ter paz e a crescer. Esse foi um doloroso golpe no orgulho desse homem.

Quarto, ele foi esquecido em Tarso (At 9.30). Paulo ficou cerca de dez anos em sua cidade, sem nenhuma projeção, fora dos holofotes, atrás das cortinas, em completo anonimato. Deus o esvazia de todas as suas pretensões, golpeia o seu orgulho e coloca o machado na raiz de seus projetos mais acalentados.

Quinto, ele foi colocado na sombra de outro líder (At 13.2). Convocado por Barnabé para estar em Antioquia da Síria, reinicia o seu ministério. Depois de um ano de intenso trabalho nessa igreja, o Espírito Santo disse: "Separai-me a Barnabé e a Saulo para a obra a que os tenho chamado" (At 13.2). Observe que os escolhidos não são Saulo e Barnabé, mas Barnabé e Saulo. Você já foi o segundo alguma vez? Já ficou na sombra de outra pessoa? Já foi reserva de alguém? Antes de ser um grande líder, Paulo precisou aprender a ser submisso. Quem nunca foi liderado, dificilmente saberá como liderar.

Sexto, ele foi apedrejado e arrastado como morto na cidade de Listra (At 14.19). Paulo estava fazendo a obra de Deus, no tempo de Deus, dentro da agenda de Deus, e mesmo assim foi apedrejado. Contudo, ele não ficou amargurado nem se decepcionou com o ministério. Ao contrário, prosseguiu fazendo a obra com alegria.

Sétimo, ele foi barrado por Deus no seu projeto (At 16.6-10). Paulo queria ir para a Ásia, mas Deus o impediu. Ele tinha uma agenda, e Deus outra. Paulo teve de abrir mão da sua vontade para abraçar a vontade de Deus. Importa ao obreiro obedecer, sempre!

Oitavo, ele foi preso e açoitado com varas em Filipos (At 16.19-26). Mesmo estando no centro da vontade de Deus, Paulo foi preso, açoitado com varas e jogado no cárcere. Em vez de ficar revoltado ou amargurado com as circunstâncias, ele orou e cantou à meia-noite, e Deus abriu as portas da prisão e o coração do carcereiro.

Nono, ele foi escorraçado de Tessalônica e Beréia (At 17.5,13). Por onde passa, ele deixa o perfume do evangelho, mas os espinhos pontiagudos da perseguição o ferem. Ele foi enxotado dessas duas cidades, em vez de ser recebido com honras.

Décimo, ele foi chamado de tagarela em Atenas e de impostor em Corinto (At 17.17.18; 18.12). Na capital da cultura, das artes e da filosofia, Paulo é chamado de tagarela, e na agitada cidade de Corinto, onde trabalhou dezoito meses, Paulo foi considerado um impostor. As circunstâncias lhe parecem absolutamente desfavoráveis. Paulo parece um homem de aço. Suporta açoites, cadeias, frio, desertos, fome, perigos, naufrágios, ameaças, sem perder a alegria (2Co 11.23-28; Gl 6.17).

Décimo primeiro, ele é preso em Jerusalém e acusado em Cesaréia (At 21.27,28; 23.31; 24.1-9). Paulo estava levando ofertas de amor para os crentes pobres de Jerusalém quando foi preso no templo. Os judeus armaram ciladas para matá-lo, e Paulo, então, foi levado para Cesaréia, onde durante dois anos foi acusado injustamente pelos judeus. Usando seu direito de cidadão romano, Paulo apelou para ser julgado em Roma (At 25.11,12). Aliás, não só Paulo desejava ir a Roma (Rm 15.30-33), mas Deus também o queria nessa cidade (At 23.11).

Décimo segundo, ele enfrenta um naufrágio na viagem para Roma (At 27.9–28.1-10). Já que Deus o queria em Roma, era de esperar que a viagem fosse tranqüila. No entanto, quando Paulo embarcou para Roma, enfrentou uma terrível tempestade. Durante quatorze dias, o navio foi açoitado com rigor desmesurado, e todos os 276 prisioneiros perderam a esperança de salvamento, exceto Paulo (At 27.20-26). O navio foi destruído, mas as pessoas foram salvas.

Décimo terceiro, ele foi mordido por uma víbora em Malta (At 28.1-6). A única pessoa atacada por uma víbora peçonhenta foi Paulo. Os malteses, apressadamente, fizeram um juízo errado dele, chamando-o de assassino. Parecia que tudo dava errado para Paulo. No entanto, em vez de cair morto pelo veneno da víbora, ele curou os enfermos da ilha.

Décimo quarto, ele chegou preso a Roma (At 28.16). Paulo chegou a Roma não como missionário, mas como prisioneiro, sem pompa, sem comissão de recepção, sem holofotes. Contudo, longe de ficar frustrado, ele diz à igreja de Filipos que todas essas coisas contribuíram para o progresso do evangelho. Ele não se considera prisioneiro de César, mas de Cristo (Ef 4.1).

Em quarto lugar, *Paulo olha para o seu sofrimento como a abertura de novos caminhos para o evangelho* (1.12). Paulo diz que as coisas que lhe aconteceram, em vez de desmotivá-lo, de decepcioná-lo ou atrapalhar o projeto missionário, contribuíram para o progresso do evangelho.

William Barclay diz:

> A palavra que Paulo usa para o "progresso do evangelho" é muito expressiva, *prokope*. Este termo é usado particularmente para designar o avanço de um exército ou uma expedição. O substantivo provém do verbo *prokoptein,* que significa "derrubar de antemão", e se

> aplica ao corte de árvores e a toda remoção de impedimentos que obstaculizavam a marcha do exército.[82]

Ralph Martin diz que este termo grego *prokope* significa, mais especificamente, "avanço a despeito de obstruções e perigos que bloqueiam o caminho do viandante".[83] Warren Wiersbe, por sua vez, entende que o termo *prokope* significa "avanço pioneiro", ou seja, um termo militar grego que se referia aos engenheiros do exército que avançavam à frente das tropas para abrir caminho em novos territórios.[84] Assim, a prisão de Paulo, longe de fechar as portas, as abre ainda mais; longe de ser uma barreira, desobstrui o caminho a novos campos de trabalho que jamais seriam alcançados de outra forma.

Charles Haddon Spurgeon é o pregador mais conhecido do século 19. Poucos, porém, conhecem a história de sua esposa, Susannah. Quando eles eram recém-casados, a sra. Spurgeon desenvolveu uma enfermidade crônica e, ao que tudo indicava, seu único ministério seria o de encorajar o marido e orar por seu trabalho. Mas Deus pôs em seu coração o desejo de compartilhar os livros de seu marido com pastores que não tinham recursos para comprar esse material. Em pouco tempo, esse desejo levou à criação do Fundo para Livros. Essa obra de fé equipou milhares de pastores com instrumentos importantes para o seu trabalho. Mesmo sem poder sair de casa, a sra. Spurgeon supervisionou pessoalmente todo esse ministério pioneiro.[85]

Olhando para o presente com alegria (1.13-18)

Cinco fatos devem ser destacados:

Em primeiro lugar, *Paulo viu sua prisão como a abertura de novas frentes de evangelização* (1.13). Warren Wiersbe diz que o mesmo Deus que usou o bordão de Moisés, os jarros de Gideão e a funda de Davi usou as cadeias de Paulo. Os romanos sequer suspeitavam de que as correntes que colocaram nos punhos do apóstolo o libertariam, em vez de prendê-lo! Em lugar de queixar-se das suas cadeias, Paulo consagrou-as a Deus e pediu que as usasse para o avanço pioneiro do evangelho.[86]

Deus é o Senhor da obra e também dos obreiros. Ele abre portas para a pregação e usa os acontecimentos que atingem os obreiros como instrumentos para ampliar os horizontes da evangelização. Porque Paulo estava preso, ele pôde alcançar grupos que jamais alcançaria em liberdade. As cadeias de Paulo abriram portas para o evangelho. Os homens podem prender você, mas não o evangelho. Paulo não é um malfeitor social, nem um preso político, mas um embaixador de Cristo em cadeias. Sua prisão é uma tribuna. Suas algemas são megafones de Deus.

Paulo não pensava no seu sofrimento, mas em como o seu sofrimento poderia contribuir para o progresso do evangelho. A perseguição jamais obstruiu o evangelho nem impediu o crescimento da Igreja. A Igreja sempre cresceu mais em tempos de perseguição do que em tempos de bonança. Quem semeia com lágrimas, com alegria recolhe os feixes. A Igreja primitiva avançou com mais força na era dos mártires do que nos tempos áureos da sua riqueza. Os maiores avivamentos da Igreja aconteceram em tempos de dor e perseguição. O avivamento coreano aconteceu nos anos mais dolorosos de perseguição e martírio. A igreja chinesa cresceu explosivamente nos anos mais dramáticos da perseguição de Mao Tsé-Tung. A prisão de Paulo abriu espaço para a evangelização em Roma.

A quem Paulo alcançou por causa de suas cadeias?

A guarda pretoriana (1.13). A guarda pretoriana era a guarda de elite do imperador. A palavra grega *praitorion* pode significar tanto um lugar quanto um grupo de pessoas.[87] O termo usado por Paulo aplica-se à guarda do pretório. Essa era a guarda imperial de Roma. Bruce B. Barton diz que a guarda pretoriana era a tropa de elite instalada no palácio do imperador.[88] Foi instituída por Augusto e compreendia um corpo de dez mil soldados escolhidos. Augusto os havia mantido dispersa por toda os Roma e aldeias. Tibério os concentrou em Roma em um edifício especial com um campo fortificado. Vitélio aumentou o número dessa guarda para dezesseis mil. Ao final de dezesseis anos de serviço, esses soldados recebiam a cidadania romana. Essa guarda passou a ser quase o corpo de guarda privado do imperador.[89]

Dia e noite, durante dois anos, Paulo era preso a um soldado dessa guarda por uma algema. Visto que cada soldado cumpria um turno de seis horas, a prisão de Paulo abriu caminho para a pregação do evangelho no regimento mais seleto do exército romano, a guarda imperial. Paulo, no mínimo, podia pregar para quatro homens todos os dias. Toda a guarda pretoriana sabia a razão pela qual Paulo estava preso, e muitos desses soldados foram alcançados pelo evangelho (4.22). Assim, as cadeias de Paulo removeram as barreiras e deram a ele a oportunidade de evangelizar os mais altos escalões do exército romano.

Werner de Boor abre uma clareira para uma nova compreensão sobre o pretório romano. Segundo ele, depois de longa pendência de dois anos de prisão domiciliar (At 28.30), o processo de Paulo passou a um estágio crítico (2Tm 4.16). Paulo havia sido trazido ao quartel para os interrogatórios e as tramitações decisivas. Como isso interferia em sua realidade pessoal! Moradia própria alugada ou uma cela certamente não muito amistosa em um quartel – que diferença! Além disso, Paulo era uma pessoa idosa! Corte de moradia própria, transferência para o quartel, detenção mais rigorosa – isso não representava um impedimento total para o seu trabalho evangelizador? Ao contrário, isso abriu caminhos para o evangelho na cidade de Roma. A "porta da Palavra" não é aberta por nós, mas por Deus (Cl 4.3). Por isso, Paulo declara que "suas algemas se tornaram conhecidas em Cristo em todo o pretório". O que parecia um estorvo tornou-se um canal para o progresso do evangelho.[90]

Todos os demais membros do palácio (1.13). Além dos soldados, Paulo também evangelizou as demais pessoas que viviam no pretório. Por causa de suas cadeias, Paulo esteve em contato com outro grupo de pessoas: os oficiais do tribunal de César. O apóstolo encontrava-se em Roma como prisioneiro do Estado, e seu caso era importante. Além das pessoas que viviam no pretório, Paulo recebia na prisão domiciliar muitas pessoas, e a todas elas ele influenciou e a muitas delas ganhou para Jesus por meio do evangelho (At 28.23-31).

Em segundo lugar, *Paulo viveu de tal modo que estimulou outros irmãos a falar com mais desassombro a Palavra de Deus* (1.14,16). Quando Paulo entrou em Roma, não era um prisioneiro entrando; era o evangelho entrando na capital do império. O instrumento da mensagem estava algemado, mas o conteúdo da mensagem estava livre. O fato de Paulo estar em cadeias levou a maioria dos crentes de Roma a um despertamento espiritual e a um engajamento no trabalho da pregação. Os crentes ficaram mais entusiasmados. Os obreiros se mexeram.

Ralph Martin diz que os crentes de Roma descobriram uma nova fonte de energia nas algemas de Paulo.[91] Não somente o evangelho era proclamado por Paulo em seus contatos na prisão, mas os seus esforços multiplicavam-se fora da prisão. As cadeias de Paulo foram um estímulo para a igreja de Roma. Destacamos aqui quatro pontos:

O alcance do estímulo (1.14). Este estímulo atingiu a maioria dos crentes, mas nem todos. A igreja de Roma estava dividida. A divisão não era doutrinária, mas motivacional. É muito raro você contar com unanimidade na igreja quando se trata de fazer a obra de Deus. É importante ressaltar que não são apenas os líderes (1.1) que estão engajados no testemunho do evangelho, mas os crentes. Todos são luzeiros a brilhar (2.15). Esse conceito contemporâneo de que só os obreiros devem anunciar a Palavra de Deus é uma terrível distorção da doutrina do sacerdócio universal dos crentes.

A fonte do estímulo (1.14). Os irmãos da igreja de Roma estavam sendo estimulados não por Paulo, mas "no Senhor" pelas algemas de Paulo. Só o Senhor Jesus pode motivar pessoas à obra da evangelização.

A razão do estímulo (1.15,16). Enquanto alguns crentes pregavam o evangelho por inveja e porfia, outros o faziam de "boa vontade e por amor". O verbo "pregar", *keryssein,* significa fazer a obra de um arauto, isto é, transmitir fiel e claramente o que alguém, uma autoridade superior, tem ordenado a proclamar.[92]

O resultado do estímulo (1.14). O resultado é que a maioria dos irmãos da igreja de Roma "ousam falar com mais desassombro a palavra de Deus". O que realmente eles falam é a palavra de Deus (1.14), e isso revela que a mensagem não vem deles mesmos, mas é a verdade de

Deus. A substância da mensagem que eles pregavam é Cristo (1.15,17,18).

Em terceiro lugar, *Paulo não azedou o coração por causa da competição de seus críticos* (1.15,17,18). Paulo faz uma transição de suas "cadeias" (1.12-14), para seus "críticos" (1.15-18). Paulo precisa comentar, tristemente, que nem todos estão motivados pelas melhores intenções. Ele não condena a substância da pregação de seus críticos. A triste observação do apóstolo refere-se aos motivos por que pregam a Cristo.[93] Eles têm uma doutrina certa e uma motivação errada. Há três coisas aqui que precisam ser destacadas:

Alguns crentes pregam o evangelho com a motivação errada (1.15). Uns pregam o evangelho por amor ao evangelho; outros, por amor a si mesmos. J. A. Motyer diz que o fato de Paulo não dar nome a esses críticos revela sua grande graça e sabedoria. Ele não quer tornar esse tema um assunto de maledicência nem desviar a atenção para assuntos laterais.[94] Alguns irmãos, ao verem Paulo preso, se esforçaram para pregar o evangelho, com cinco motivações erradas:

Primeiro, inveja. No grego, temos o vocábulo *phthonos,* que significa "ciúmes", "inveja". A inveja e a contenda andam juntas, da mesma forma que o amor e a unidade são inseparáveis, diz Warren Wiersbe.[95] A inveja se intromete entre pregadores do evangelho. Com quanta profundidade ela está arraigada em nosso coração, mais profundamente do que muitos pecados rudes. Nem mesmo uma conversão autêntica simplesmente arranca a inveja. Possivelmente esses críticos de Paulo fossem pessoas que antes detinham posição de destaque na vida da igreja de Roma e cuja palavra era alvo de atenção especial. Com a chegada de Paulo a Roma, sentiram-se relegados a segundo plano e privados de sua importância anterior. Então surgiu a inveja.[96]

Segundo, *porfia*. É a tradução de *eris*, palavra grega que significa "contenda", "discórdia", "dissensão". Essa foi a palavra que Paulo usou para descrever as facções existentes na igreja de Corinto, e que provocaram traumáticas divisões (1Co 3.3).[97] Da inveja, brota o prazer malicioso. No fundo, essas pessoas se alegraram pelo fato de Paulo ter sido neutralizado pela transferência para o quartel. Elas pensam que nessa situação Paulo já não as estorva, e assim, já podem recuperar a sua posição, diz Werner de Boor.[98] A palavra *eris* também traz a idéia de competição para receber o apoio de outros. Assim, em vez de perguntarem: "Você já aceitou Cristo?", perguntavam: "De que lado você está, do nosso ou do de Paulo?".[99]

Terceiro, discórdia. No original grego é *eritheia,* que significa "disputa", "ambição egoísta", com explosões de egoísmo.[100] Essas pessoas pregavam por interesses pessoais. Pregavam para aumentar a sua própria influência e prestígio. Elas pregavam para engrandecer a si mesmas.[101] Essas pessoas trabalhavam para terem mais influência sobre a igreja. A glória do nome delas, e não a glória do nome de Cristo, é o que buscavam com mais fervor.

Quarto, falta de sinceridade. No grego, temos a forma negativa *agnos*, dando a entender "impuramente", "insinceramente". Aquelas pessoas faziam a coisa mais sublime e mais santa do mundo, pregar o evangelho, com as intenções mais obscuras e nebulosas, a promoção de si mesmas. O culto à personalidade é um pecado que ofende a Deus. Toda a glória dada ao homem é glória vazia (2.3,4).

Quinto, suscitar tribulação a Paulo. A palavra usada por Paulo é *thlipsis*, "pressão, fricção". Deriva da forma verbal que significa "pressionar".[102] Por estarem doentes espiritualmente, pensavam que Paulo também era como eles.

Pensavam que estava disputando primazia. Olhavam para Paulo como um competidor e um rival. Trabalhavam apenas para apresentar um relatório com maiores resultados. Esses pregadores interessavam-se mais em sua reputação do que em sua mensagem, diz Bruce B. Barton.[103] Ficavam felizes quando podiam fazer mais do que os outros. As limitações dos outros lhes davam prazer mórbido. As cadeias de Paulo eram a alegria deles.

Estranhamente essas pessoas pregam a mensagem certa (1.17). Essas pessoas estavam fazendo a coisa certa da maneira errada. Elas não estavam pregando heresias, mas o evangelho. O estranho é que os críticos de Paulo não deturparam nem esvaziaram a mensagem do evangelho. Paulo jamais teria se alegrado se esses críticos estivessem pregando alguma heresia (Gl 1.6-9). É somente por ser verdadeiro o evangelho que essas pessoas anunciam que Paulo consegue desconsiderar a motivação insincera.[104]

A reação de Paulo aos opositores (1.18). Paulo está indiferente a esses ataques contra si próprio, como se fora um homem sem reputação. Sua única preocupação é a pregação de Cristo; esse fato o enche de alegria. Paulo não está alegre com os críticos egoístas, mas com o fato de que pregavam a Cristo! Ele não se importava se alguns eram a favor dele e outros contra. Para ele, o mais importante era a pregação do evangelho de Jesus Cristo.

Paulo não está construindo um reino pessoal. Ele não está lutando para a exaltação do seu nome. O que lhe interessa é a divulgação do evangelho. Por isso, se alegra, pois esses pregadores egoístas estão com a motivação errada, mas estão pregando o evangelho. O foco de Paulo não está nele mesmo, mas em Cristo. O foco do apóstolo está no conteúdo do evangelho, e não na motivação dos pregadores.

Sua atenção não está no que as pessoas lhe fazem, mas em como o evangelho avança.

William Barclay diz que Paulo não alimentava ciúmes ou ressentimentos pessoais. Se Jesus Cristo era pregado, não lhe importava quem receberia o crédito, a honra e o prestígio. Com muita freqüência, nós nos ressentimos, pois outro ganha uma distinção que nós não recebemos. Muitas vezes, olhamos para o outro como inimigo, pois tem expressado alguma crítica sobre nós ou nossos métodos. Com freqüência, pensamos que alguém não serve porque não faz as coisas do nosso modo.[105]

Em quarto lugar, *Paulo, em vez de defender a si mesmo, defendeu o evangelho* (1.16). Paulo foi um vigoroso apologeta. Ele não só pregou a verdade, mas denunciou e desmascarou a mentira. Ele não só anunciou o evangelho, mas desbaratou as heresias. Ele não só ergueu a bandeira de Cristo, mas combateu com tenacidade toda sorte de falsos ensinos que tentavam perverter o cristianismo. Paulo enfrentou os judaizantes legalistas, os místicos gnósticos e os ascetas (Cl 2.8-23). Hoje, muitos falsos mestres se levantam disseminando sua heresia: o liberalismo e o misticismo pragmático são heresias que ainda atacam fortemente a Igreja contemporânea. Velhas heresias com novas caras têm surgido, como o *Teísmo aberto.* Livros insolentes atacam o cristianismo, como *Código da Vinci e o Evangelho de Judas.* Precisamos dar a razão da nossa esperança (1Pe 3.15).

J. A. Motyer diz que Paulo via a si mesmo como um homem sob ordens. Ele escreve: "... sabendo que estou incumbido da defesa do evangelho" (1.16). O termo usado aqui é militar.[106] Quando os soldados da guarda pretoriana vinham cumprir seu turno, prendendo-se a ele por meio de algemas, Paulo aproveitava a oportunidade para prender os soldados à verdade do evangelho. Ele não questionava seu sofrimento, como se Deus houvesse esquecido dele ou como se seu sofrimento fosse obra de Satanás. Ele via cada circunstância como uma oportunidade para pregar ou defender o evangelho.

Em quinto lugar, *Paulo aproveitou a prisão para escrever cartas que se tornaram imortais.* Certamente o que mais contribuiu para o progresso do evangelho foram essas cartas que Paulo escreveu da prisão (Efésios, Filipenses, Colossenses e Filemom). Essas cartas ainda são luzeiros a brilhar. Elas têm sido instrumento para levar milhões de pessoas a Cristo e edificar o povo de Deus ao longo dos séculos.

NOTAS DO CAPÍTULO 3

[82] BARCLAY, William. *Filipenses, Colosenses, I y II Tesalonicenses.* Vol. 11, 1973: p. 27.

[83] MARTIN, Ralph P. *Filipenses: Introdução e comentário*, 1985: p. 83.

[84] WIERSBE, Warren W. *Comentário bíblico expositivo.* Vol. 6, 2006: p. 85.

[85] WIERSBE, Warren W. *Comentário bíblico expositivo.* Vol. 6, 2006: p. 85.

[86] WIERSBE, Warren W. *Comentário bíblico expositivo.* Vol. 6, 2006: p. 86.

[87] BARCLAY, William. *Filipenses, Colosenses, I y II Tesalonicenses.* Vol. 11, 1973: p. 27.

[88] BARTON, Bruce B. *Life application Bible commentary on Philippians*, 1995: p. 34.

[89] BARCLAY, William. *Filipenses, Colosenses, I y II Tesalonicenses.* Vol. 11, 1973: p. 28.

[90] de Boor, Werner. *Carta aos Efésios, Filipenses e Colossenses*, 2006: p. 187,188.

[91] Martin, Ralph P. *Filipenses: Introdução e comentário*, 1985: p. 84.

[92] Motyer, J. A. *The message of Philippians*, 1991: p. 70.

[93] Martin, Ralph P. *Filipenses: Introdução e comentário*, 1985: p. 85.

[94] Motyer, J. A. *The message of Philippians*, 1991: p. 75.

[95] Wiersbe, Warren W. *Comentário bíblico expositivo.* Vol. 6, 2006: p. 87.

[96] de Boor, Werner. *Carta aos Efésios, Filipenses e Colossenses*, 2006: p. 189.

[97] Champlin, Russell Norman. *O Novo Testamento interpretado versículo por versículo.* Vol. 5, p. 15.

[98] de Boor, Werner. *Carta aos Efésios, Filipenses e Colossenses*, 2006: p. 189.

[99] Wiersbe, Warren W. *Comentário bíblico expositivo.* Vol. 6, 2006: p. 87.

[100] Champlin, Russell Norman. *O Novo Testamento interpretado versículo por versículo.* Vol. 5, p. 16.

[101] Barclay, William. *Filipenses, Colosenses, I y II Tesalonicenses.* Vol. 11, 1973: p. 30.

[102] Champlin, Russell Norman. *O Novo Testamento interpretado versículo por versículo.* Vol. 5, p. 16.

[103] Barton, Bruce B. *Life application Bible commentary on Philippians*, 1995: p. 37.

[104] de Boor, Werner. *Carta aos Efésios, Filipenses e Colossenses*, 2006: p. 189,190.

[105] Barclay, William. *Filipenses, Colosenses, I y II Tesalonicenses.* Vol. 11, 1973: p. 30,31.

[106] Motyer, J. A. *The message of Philippians*, 1991: p. 71.

Capítulo 4

Vivendo sem medo do futuro

(Fp 1.19-30)

O APÓSTOLO PAULO OLHAVA para o futuro sob duas perspectivas:

Em primeiro lugar, *olhava para a vida com os olhos de Deus.* O apóstolo Paulo está preso, aguardando o seu julgamento. Sua absolvição é ansiosamente esperada pelos crentes de Filipos. Todavia, a sua condenação por parte do imperador Nero é uma dolorosa possibilidade, pensavam os crentes macedônios. O veterano apóstolo, porém, mesmo preso, algemado a um soldado da guarda pretoriana, aguardando uma sentença que poderia levá-lo à morte, transborda de alegria e encoraja a igreja de Filipos a viver do mesmo jeito. Sua segurança decorre de três fatos:

Ele olhava para o passado sem amargura (1.12). Ele sofreu perseguição, açoites, prisões, acusações levianas, privações, naufrágios, fome e frio, mas, ao computar todas essas coisas, disse que elas contribuíram para o progresso do evangelho.

Ele olhava para o presente com alegria (1.13-18). Sua prisão, longe de interromper ou limitar o seu ministério, abriu-lhe novos horizontes. A igreja de Roma foi revitalizada por suas algemas, a guarda de elite do imperador passou a conhecer a Cristo por seu intermédio, e as cartas da prisão romperam os séculos e, como sempre foram e são, ainda serão verdades consoladoras de Deus para o Seu povo.

Ele olhava para o futuro com gloriosa certeza (1.19-26). O futuro não amedrontava Paulo. O fim da linha não é o martírio, mas a glória. A última cena não é a guilhotina romana, mas o paraíso. A morte para ele não era um fim trágico, mas uma recompensa gloriosa. Morrer não é ir para um sepulcro escuro e gelado, mas é partir para estar com Cristo.

Warren Wiersbe diz que, por causa das cadeias de Paulo, Cristo tornou-se conhecido (1.13). Por causa de seus críticos, Cristo foi pregado (1.18). No entanto, por causa de seu sofrimento, Cristo foi engrandecido (1.20).[107]

Em segundo lugar, *olhava para a vida pela ótica dos irmãos.* Paulo jamais centralizou a sua vida em si mesmo, em seus desejos e necessidades. Ele sempre colocou os *outros* na frente do *eu*. Ele sempre abriu mão de seus direitos a favor dos outros. Ele preferia morrer e estar com Cristo, mas por amor à Igreja estava disposto a ficar. Se para ele o viver é Cristo, o motivo para continuar vivo é abençoar os irmãos (1.24,25). Ele não pensava em aposentadoria, em enfiar-se num pijama e comprar uma cadeira de balanço.

Paulo não pensava em sair de cena e buscar um tempo de recolhimento para cuidar de si mesmo. Paulo é como uma vela; ele quer brilhar com a mesma intensidade enquanto viver.

No texto em apreço, Paulo abre as cortinas da sua alma e nos oferece sua visão confiante quanto ao futuro.

A certeza (1.19)

Paulo não é um estóico, mas um cristão. Ele não tem prazer no sofrimento. Ele não acredita que o seu sofrimento é meritório. Está preso, mas o seu desejo é sair da prisão. O apóstolo afirma: "Porque estou certo de que isto mesmo, pela vossa súplica e pela provisão do Espírito de Jesus Cristo, me redundará em libertação" (1.19). A palavra usada por Paulo para "libertação", *soteria,* pode significar aqui segurança, salvação ou bem-estar.[108]

Paulo demonstra confiança nessa libertação por duas razões básicas: uma humana e outra divina.

Em primeiro lugar, *pela oração da igreja* (1.19). Paulo foi o maior teólogo do cristianismo. Ele foi o maior intérprete das verdades cristãs. De outro lado, ninguém expressa tanta confiança na oração quanto ele. Paulo ora pela igreja (1.4-11) e pede orações da igreja (1.19; 1Ts 5.25; 2Ts 3.1,2; 2Co 1.11; Fm 22; Rm 15.30-32). Ele está preso e tem certeza de sua libertação por causa das orações da igreja a seu favor. A Bíblia diz que muito pode por sua eficácia a súplica do justo (Tg 5.16). Ralph Martin diz que a súplica dos filipenses é a resposta à sua súplica a favor deles (1.4).[109]

Em segundo lugar, *pela provisão do Espírito de Jesus Cristo* (1.19). A ação de Deus não anula a intervenção divina nem a soberania de Deus isenta a responsabilidade humana. Pela provisão do Espírito Santo, Paulo será colocado em liberdade, mas essa ação do Espírito vem como resposta da oração da igreja. A provisão do Espírito sugere um revestimento, e fortalecimento de sua vida, de tal forma que a sua coragem não lhe falhará; nem seu testemunho será prejudicado (1.20), seja qual for o resultado do processo contra ele. A ajuda do Espírito é nada menos que o poder de Cristo disponível para o Seu povo.[110]

A expectativa (1.20)

Paulo é um homem que está olhando para o futuro erguido na ponta dos pés, com a visão do farol alto, subindo nos ombros dos gigantes. Em toda essa situação, Paulo tem uma esperança. A palavra que usa para "esperança" é muito gráfica; é um termo inusitado. Trata-se de *apokaradokia. Apo* significa "fora de"; *kara,* "cabeça"; *dokein,* "mirar". Assim, *apokaradokia* significa a mirada ardente, concentrada e persistente que se aparta de qualquer outra coisa, para fixar-se somente no objeto do seu desejo.[111]

Ralph Martin corrobora afirmando que essa palavra é bastante pitoresca, denotando um estado de antecipação viva do futuro, o esticar do pescoço para captar um vislumbre daquilo que jaz à frente, "a esperança intensa, concentrada, que ignora outros interesses (*apo*), e se força para a frente, como que esticando a cabeça (*kara, dokein*). Dessa forma, *apokaradokia* é uma atitude positiva para com aquilo que o futuro possa trazer.[112] A expectativa de Paulo é demonstrada de duas formas:

Em primeiro lugar, *não ser envergonhado* (1.20). Paulo está em uma prisão, e não numa cátedra. Ele está algemado, e não em um púlpito. Sobre ele pesam acusações. Sua vida está sendo devassada e vasculhada. Seus inimigos são ardilosos e implacáveis. As acusações contra ele são fortes e levianas. Paulo reconhece que precisa das orações da igreja e do socorro do Espírito Santo para não sucumbir. Os cristãos no primeiro século foram acusados de canibais, de incendiários e de licenciosos. Paulo era o líder desse grupo. Apesar de todas essas adversidades, Paulo tem expectativa de não ser envergonhado em seu julgamento.

Em segundo lugar, *glorificar a Cristo no corpo* (1.20). As metas mais cobiçadas por Paulo não eram ser um homem famoso e rico, mas glorificar a Cristo em seu corpo. Ele não estava construindo seu próprio império e reino pessoal, mas buscava a glória do Rei Jesus. Ele não estava atrás de glórias humanas ou prestígio político em Roma, mas procurava com todas as forças da sua vida glorificar a Cristo em seu corpo. Paulo não era um obreiro fraudulento, charlatão, comerciante do evangelho. Ele não estava construindo um patrimônio financeiro como, infelizmente, ocorre com tantos obreiros inescrupulosos, usando seu prestígio para abastecer-se. Paulo compreendia que fora comprado por alto preço e, agora, queria glorificar a Cristo em seu corpo (1Co 6.20). Ellicott expressa belamente as palavras de Paulo: "Meu corpo será o teatro no qual se manifestará a glória de Cristo".

Werner de Boor diz que Paulo não era um platônico, que somente valorizava "a alma" e desprezava o corpo como insignificante ou até mesmo mau. Paulo entendia que precisava manter o corpo com rédeas curtas (1Co 9.27). Ele sabia que as práticas do corpo precisavam ser mortificadas por meio do Espírito (Rm 8.13). Esse corpo "insignificante", muitas vezes tão precário e maltratado, é o meio da glorificação de Jesus![113]

Paulo diz à igreja de Filipos que a glorificação do nome de Cristo em seu corpo ocorrerá independentemente do desfecho do processo, tanto no caso de soltura quanto no caso de execução, ou seja, quer pela vida, quer pela morte.

Warren Wiersbe compara o nosso corpo com um telescópio e um microscópio. Enquanto o telescópio aproxima o que está distante, o microscópio amplia o que é pequeno. Para o incrédulo, Jesus não é grande. Outras pessoas e coisas são muito mais importantes do que Ele. No entanto, ao observar o cristão passar por uma experiência de crise, o incrédulo deve ser capaz de enxergar a verdadeira grandeza de Jesus Cristo. O corpo do cristão é uma lente que torna o "Cristo pequeno" dos incrédulos extremamente grande, e o "Cristo distante", extremamente próximo.[114] Como Paulo deseja glorificar a Cristo em seu corpo?

Glorificar a Cristo pela vida. A glória de Deus é o fim último da existência humana. Nosso viver será em vão se Cristo não for glorificado em nosso corpo. Nosso corpo é a habitação de Deus, pertence a Cristo e deve glorificar a Cristo. Mesmo já idoso, trazendo no corpo as marcas de Cristo, fustigado pelo espinho na carne, tendo passado por açoites, prisões e escassez de pão, Paulo quer glorificar a Cristo em seu corpo pela sua vida.

Glorificar a Cristo pela morte. Não basta viver bem; é preciso morrer bem. Não morre bem quem não vive para glorificar a Cristo. Paulo deseja ardentemente glorificar a Cristo em sua morte, como o glorificou em sua vida. Não pode ter a morte de um justo quem viveu como um ímpio. Não pode glorificar a Cristo na morte quem não o glorificou na vida. Miguel Gonçalves Torres, pastor presbiteriano que viveu no século 19, disse na hora da morte: "Eu pensei que iria para o céu na hora da morte, mas foi o céu que veio me buscar". Dwight Moody, o grande avivalista do século 19, disse na hora da sua partida: "Afasta-se a terra, aproxima-se o céu, estou entrando na glória". Martyn Lloyd-Jones, o ilustre pregador galês, considerado o pastor mais influente do século 20, ao morrer, disse à sua família: "Não orem mais por minha cura, não me detenham da glória".

A explicação (1.21)

O apóstolo Paulo não tem apenas expectativa; ele tem razões sobejas e convincentes, pois deseja glorificar a Cristo tanto pela vida quanto pela morte. Exatamente porque ele está pronto para morrer, é que está pronto para viver, diz Bruce Barton.[115] No versículo 21, ele explica por que tem a expectativa de glorificar a Cristo na vida e na morte.

Em primeiro lugar, *a vida é Cristo* (1.21). Para aqueles que não crêem em Deus, a vida sobre a terra é tudo o que existe. Então, é natural que essas pessoas lutem desesperadamente pelos valores deste mundo como o dinheiro, a popularidade, o poder, o prazer e o prestígio. O homem está em busca de sentido. Os filósofos, apressados na sua busca pela verdade, vasculham os densos volumes da história do pensamento humano, procurando encontrar o sentido último da existência humana. Os psicólogos mergulham no oceano dos sentimentos mais profundos da alma, desejando uma razão para a vida. Muitos tentam encontrar o sentido da vida no dinheiro, no prazer, no sucesso e no poder. Essa, porém, é uma busca inglória. É como buscar água em cisternas rotas. É como lavrar uma rocha. Deus pôs a eternidade no coração do homem, e as coisas temporais e terrenas não podem satisfazê-lo.

O grande paladino do cristianismo, o idoso e surrado apóstolo, diz que Cristo é a razão da vida. Para Paulo, Cristo marcava o começo, a continuação, o fim, a inspiração e a recompensa da sua vida.[116]

Em segundo lugar, *a morte é lucro* (1.21). A morte para o cristão não é o final da linha. A morte não é a cessação da existência. A morte não é um fracasso nem uma derrota. Para o cristão, a morte é lucro, e isso por algumas razões:

A morte é lucro porque é o descanso das fadigas (Ap 14.13). A vida está crivada de muito sofrimento. Aqui há choro e dor. Aqui há vales sombrios e trabalhos extenuantes. Contudo, a morte é o descanso das fadigas.

A morte é lucro porque morrer é ser aperfeiçoado para entrar na glória (Hb 12.23). A morte para o cristão não é decadência, mas aperfeiçoamento para entrar na glória, na cidade santa, na Jerusalém celeste.

A morte é lucro porque morrer é ir para o seio de Abraão (Lc 16.22). Quando um cristão morre, seu corpo desce ao pó, mas o seu espírito volta para Deus (Ec 12.7). Morrer é ir para a casa do Pai, para o seio de Abraão, para o paraíso. Jesus disse ao ladrão arrependido na cruz: "Em verdade te digo que hoje estarás comigo no paraíso" (Lc 23.43).

A morte é lucro porque a morte de um justo é algo belo aos olhos de Deus (Sl 116.15). Porque Cristo venceu a morte, tirou o seu aguilhão e triunfou sobre ela, a morte não mais nos separa de Deus (Rm 8.38). Agora, a morte dos santos é preciosa a Deus porque, por ela, entramos no gozo do Senhor (Mt 25.34).

A tensão (1.22-26)

Paulo está vivendo uma grande tensão. Ele está dividido entre a vida e a morte. O que escolher? O que é melhor? J. A. Motyer diz que Paulo coloca na balança essa tensão e percebe que tanto a vida quanto a morte são desejáveis. Entretanto, ele tem uma preferência pela morte, embora aliste razões para continuar vivendo.[117]

Em primeiro lugar, *o desejo semelhante de viver e morrer* (1.22,23). No versículo 22, Paulo expressa o seu dilema e a sua tensão: "Entretanto, se o viver na carne traz fruto para o meu trabalho, já não sei o que hei de escolher".

No versículo 23, ele aponta o seu constrangimento de desejar partir: "Ora, de um e outro lado, estou constrangido, tendo o desejo de partir e estar com Cristo, o que é incomparavelmente melhor". Todos os cristãos vivem esse conflito e essa tensão. Nossa Pátria está no céu (3.20). Nosso nome está escrito no livro da vida (4.2). A morte para nós é lucro (1.21). No entanto, ainda temos um trabalho a fazer aqui (1.22). Estamos no mundo como embaixadores de Deus, como ministros da reconciliação, como cooperadores de Deus. Andar com Deus e fazer a Sua obra é a razão de ainda continuarmos neste mundo.

O cristão não foge da vida nem teme a morte. Ele abraça a vida e a morte com a mesma empolgação. Na vida, Cristo está com ele; na morte, ele está com Cristo. Na vida, ele realiza a obra de Cristo; na morte, ele desfruta a glória de Cristo.

Em segundo lugar, *a preferência da morte* (1.23). Paulo, após afirmar que morrer é lucro, agora afirma que ele prefere a morte à vida. No versículo 23, Paulo nos fala sobre três aspectos importantes da morte do cristão:

A natureza da morte. Paulo fala da morte como uma *partida.* Ralph Martin diz que essa palavra "partir" não deve ser interpretada como um anseio por imortalidade, a qual os gregos procuravam atingir mediante o derramamento do corpo físico, permitindo, assim, que o espírito escapasse de sua prisão. A metáfora do verbo poderia ter sido emprestada da terminologia militar (retirar-se do campo) ou da linguagem náutica (libertar o barco de suas amarras).

O pano de fundo geral, mais imediato, não é o debate filosófico, grego, a respeito da imortalidade da alma, que procura libertar-se do corpo, na hora da morte, mas a esperança de uma união mais íntima com Cristo.[118] Essa palavra grega *analyein* é muito sugestiva. Ela tem um rico significado.

Primeiro, ela significa ficar livre de um fardo. Esse era um termo usado pelos agricultores em referência ao ato de remover o jugo dos bois. Paulo havia levado o jugo de Cristo, que era suave (Mt 11.28-30), mas também carregou inúmeros fardos em seu ministério (1Co 11.22–12.10). Partir e estar com Cristo significa colocar de lado todos os fardos, pois o seu trabalho na terra estaria consumado.[119] A morte é o alívio de toda fadiga (Ap 14.13). A morte é descanso (Hb 4.9). A morte é entrar na posse do reino e no gozo do Senhor (Mt 25.34).

Segundo, ela significa levantar acampamento. A idéia central aqui é a de desatar as cordas da tenda, remover as estacas e prosseguir a marcha. A morte é colocar-se em marcha. Cada dia dessa marcha é uma jornada que nos aproxima mais do nosso lar. Até que enfim se levantará pela última vez o acampamento neste mundo e se transferirá para a residência permanente na glória.[120] A tenda em que vivemos é desarmada pela morte. A morte é uma mudança de endereço. Deixamos uma tenda frágil e mudamos para uma casa feita não por mãos, eterna no céu (2Co 5.1). Deixamos um corpo de humilhação e nos revestimos de um corpo de glória (3.21). Deixamos este mundo onde passamos por aflição e entramos na casa do Pai, onde Deus enxugará dos nossos olhos toda lágrima.

Terceiro, ela significa desatar as amarras do barco, levantar a âncora e lançar-se ao mar. Morrer é empreender essa viagem para o porto eterno e para Deus, diz William Barclay.[121] A morte é uma viagem rumo à eternidade. É uma jornada para a casa do Pai, para o paraíso, para o seio de Abraão, para a Jerusalém celeste.

Em terceiro lugar, *a bênção da morte.* Paulo diz que morrer é partir para estar não no purgatório, nem no túmulo, ou em sucessivas reencarnações, mas estar com Cristo. Morrer é deixar o corpo e habitar imediatamente com o Senhor (2Co 5.8). Morrer não é partir para o além, mas partir para estar com Cristo no céu. A morte não é uma viagem rumo às trevas, ao desconhecido, ao tormento ou à solidão. A morte é uma partida para estar com Cristo, para se ter íntima, perfeita e eterna comunhão com Ele.

Em quarto lugar, *a superioridade da morte.* Paulo diz que morrer é estar com Cristo, o que é incomparavelmente melhor. O advérbio triplo em grego (literalmente: "antes muito melhor") significa "sem comparação, o melhor", isto é, um superlativo superenfático.[122] O céu é melhor. A glorificação é melhor. Estar com Cristo com um corpo de glória é melhor. Ver a Jesus glorificado e desfrutar a Sua companhia eternamente é melhor. Estar na casa do Pai, onde não há mais dor, lágrima nem luto, é melhor.

Em quinto lugar, *o motivo para continuar vivendo* (1.24,25). Paulo não tem medo da morte e até deseja a morte, porque morrer é partir para estar com Cristo, mas por causa dos crentes (1.24) é mais necessário permanecer vivendo. O motivo da sua necessidade de permanecer vivo é o progresso e deleite na fé de seus filhos espirituais (1.25,26).

No versículo 25, Paulo diz: "E, convencido disto, estou certo de que ficarei e permanecerei com todos vós, para o vosso progresso e gozo da fé". Paulo tem a convicção de que ficará e permanecerá. Ele usa aqui um jogo de palavras.

"Ficarei", *menein,* que significa "permanecer com", enquanto "permanecerei", *paramenein,* significa "aguardar ao lado de uma pessoa, estando pronto para ajudá-la em todo o momento". Paulo deseja viver não para si mesmo, mas para os seus irmãos.[123]

Bruce Barton diz que a respeito dessa matéria devemos evitar dois erros: primeiro, trabalhar a ponto de perder de vista nossa gloriosa morada com Cristo; segundo, desejar somente estar com Cristo e negligenciar a obra que Ele nos chamou para fazer.[124] O cristão ama a vida sem ter medo da morte. Ele é cidadão de dois mundos. Ao mesmo tempo que luta para a implantação do reino de Cristo na terra, sabe que sua Pátria está no céu. Pensar somente na terra sem voltar-se para o céu produziu uma geração racionalista e estéril. Pensar somente no céu sem envolver-se com a agenda de Deus na terra produziu um bando de místicos vazios e inconseqüentes.

A exortação (1.27-30)

Ralph Martin diz que a seção que compreende os versículos 27 a 30 é rica de termos militares: *estais firmes* (resolutos como soldados plantados em seus postos); *lutando* (associa-se com campanha militar, em batalha, ou com arena, onde os gladiadores lutavam em combate de vida ou morte); *pelos adversários* (humanos ou demoníacos); *o mesmo combate* (proveniente do grego *agon,* como o que Paulo havia conhecido na época de sua primeira visita à cidade deles [1Ts 2.2]).[125]

Warren Wiersbe resume esse parágrafo assim: coerência (1.27a), cooperação (1.27b) e confiança (1.28-30).[126] A maior arma contra o inimigo é uma vida piedosa, coerente, digna. No entanto, a igreja é mais do que a vida particular de cada um de seus membros. A igreja é uma equipe, é um time que precisa trabalhar unido. Contudo, não basta aos membros da igreja estarem juntos eles precisam ter confiança e não viver assustados diante do sofrimento.

Podemos sintetizar esse parágrafo, destacando três coisas:

Em primeiro lugar, *a necessidade de viver de modo digno do evangelho* (1.27). A teologia precisa produzir vida. A doutrina precisa desembocar em ética. Aqui é o evangelho que estabelece a norma ética. Os crentes de Filipos deviam viver como pessoas convertidas tanto dentro da igreja quanto fora, no mundo. A fé que abraçamos precisa moldar o nosso caráter.

A vida do cristão, segundo Juan Carlos Ortiz, é o quinto evangelho, a página da Bíblia que o povo mais lê. Precisamos viver de modo digno para não sermos causa de tropeço para os fracos. Precisamos viver de modo digno para não baratearmos o evangelho que abraçamos. Precisamos viver de modo digno para ganharmos outros com o nosso testemunho.

A palavra usada por Paulo aqui é muito sugestiva. A ordem "vivei", *politeuesthai,* significa "ser cidadão".[127] Paulo escrevia de Roma, o centro do Império Romano. Foi o fato de ser cidadão romano que o conduziu à capital do império. Filipos era uma colônia romana, uma espécie de miniatura de Roma. Nas colônias romanas, os cidadãos jamais esqueciam que eram romanos: falavam o latim, usavam vestimentas latinas, davam a seus magistrados os títulos latinos. Desse modo, Paulo está dizendo aos, crentes de Filipos que assim como eles valorizavam a cidadania romana, deveriam também valorizar, e ainda mais, a honrada posição que ocupavam como cidadãos do céu (3.20).

Em segundo lugar, *a necessidade de unidade no trabalho* (1.27). A igreja de Filipos estava sendo atacada numa área vital, a quebra da comunhão (2.1-4; 4.1-3). Seus membros estavam fazendo a obra de Deus, mas divididos. Paulo os exorta a estarem firmes em um só espírito, como uma só alma, lutando juntos pela fé evangélica. A unidade da igreja deve ser expressa em várias áreas, segundo J. A. Motyer.[128]

Unidade de coração e de mente (1.27). Isso fala das afeições, de como nos sentimos diante das pessoas e reagimos a elas. Isso fala acerca das coisas que realmente são importantes para nós.

Unidade no trabalho (1.27). Devemos, outrossim, lutar juntos pela fé evangélica. A igreja não é apenas um amontoado de gente vivendo num parque de diversão, mas um grupo de atletas trabalhando juntos pelo mesmo objetivo. Paulo diz que os crentes devem trabalhar como atletas de um time, todos com a mente focada no mesmo alvo, o avanço do evangelho.[129]

Unidade na fé (1.27). A igreja precisa ter unidade doutrinária. Precisamos lutar não por modismos, doutrinas de homens, mas pela fé evangélica. Fora da verdade, não há unidade (Ef 4.1-6).

Muitos cristãos fraquejam, ensarilham as armas e fogem do combate na hora da tribulação. Outros se distanciam não da obra, mas dos irmãos, e rompem a comunhão fraternal. Paulo os exorta a estarem juntos e firmes, lutando pela fé evangélica.

Em terceiro lugar, *a necessidade de coragem em meio à perseguição* (1.28-30). A igreja de Filipos estava enfrentando uma ameaça interna (a quebra da comunhão) e uma ameaça externa (a perseguição). Paulo os exorta a trabalharem unidos e também a enfrentarem os adversários sem temor, sabendo que o padecimento por Cristo é uma graça (1.29), pois até mesmo a perseguição à igreja vem da parte de Deus. É bem verdade que somente pela fé, que vem pela graça, pode o sofrimento ser considerado um privilégio.

A expressão "em nada estais intimidados" contém um verbo expressivo, que sugere o tropel de cavalos assustados. Paulo tem certeza de que seus amigos não explodirão em desordem, sob a pressão da perseguição.[130] Paulo diz, ainda, à igreja que, embora separados geograficamente, estão alistados na mesma batalha (1.30).

Ralph Martin diz que os planos de Deus incluem o sofrimento das igrejas (1.29), visto que a natureza da vocação cristã recebeu o seu modelo do próprio Senhor encarnado que sofreu e foi humilhado até à morte e morte de cruz (2.6-11). A vida da igreja deriva daquele que exemplificou o padrão do "morrer para viver". Dessa forma, não há absolutamente nada incoerente, nem inconsistente, no "destino dos cristãos como comunidade perseguida, inserida em um mundo hostil" (2.15).[131] Enquanto muitos pregam que a glória é a insígnia de todo cristão, Paulo afirma que a marca distintiva do crente é a cruz.[132] O sofrimento por causa do evangelho não é acidental, mas um alto privilégio, nada menos do que um dom da graça de Deus![133]

Notas do capítulo 4

[107] Wiersbe, Warren W. *Comentário bíblico expositivo.* Vol. 6, 2006: p. 88.

[108] Barclay, William. *Filipenses, Colosenses, I y II Tesalonicenses.* Vol. 11, 1973: p. 31,32.

[109] Martin, Ralph P. *Filipenses: Introdução e comentário*, 1985: p. 87.

[110] Martin, Ralph P. *Filipenses: Introdução e comentário*, 1985: p. 87.

[111] Barclay, William. *Filipenses, Colosenses, I y II Tesalonicenses.* Vol. 11, 1973: p. 33.

[112] Martin, Ralph P. *Filipenses: Introdução e comentário*, 1985: p. 88.

[113] de Boor, Werner. *Carta aos Efésios, Filipenses e Colossenses*, 2006: p. 193.

[114] Wiersbe, Warren W. *Comentário bíblico expositivo.* Vol. 6, 2006: p. 88.

[115] Barton, Bruce B. et all. *Life application Bible commentary on Philippians*, 1995: p. 41.

[116] Barclay, William. *Filipenses, Colosenses, I y II Tesalonicenses.* Vol. 11, 1973: p. 34.

[117] Motyer, J. A. *The message of Philippians*, 1991: p. 87-91.

[118] Martin, Ralph P. *Filipenses: Introdução e comentário*, 1985: p. 90.

[119] Wiersbe, Warren W. *Comentário bíblico expositivo.* Vol. 6, 2006: p. 89.

[120] Barclay, William. *Filipenses, Colosenses, I y II Tesalonicenses.* Vol. 11, 1973: p. 35.

[121] Barclay, William. *Filipenses, Colosenses, I y II Tesalonicenses.* Vol. 11, 1973: p. 35.

[122] Martin, Ralph P. *Filipenses: Introdução e comentário*, 1985: p. 91.

[123] Barclay, William. *Filipenses, Colosenses, I y II Tesalonicenses.* Vol. 11, 1973: p. 35.

[124] Barton, Bruce B. et all. *Life application Bible commentary on Philippians*, 1995: p. 42.

[125] Martin, Ralph P. *Filipenses: Introdução e comentário*, 1985: p. 95.

[126] Wiersbe, Warren W. *Comentário bíblico expositivo.* Vol. 6, 2006: p. 91,92.

[127] Barclay, William. *Filipenses, Colosenses, I y II Tesalonicenses.* Vol. 11,

1973: p. 36.

[128] Motyer, J. A. *The message of Philippians*, 1991: p. 95,96.

[129] Barton, Bruce B. et all. *Life application Bible commentary on Philippians*, 1995: p. 47.

[130] Martin, Ralph P. *Filipenses: Introdução e comentário*, 1985: p. 97.

[131] Martin, Ralph P. *Filipenses: Introdução e comentário*, 1985: p. 94.

[132] Martin, Ralph P. *Filipenses: Introdução e comentário*, 1985: p. 98.

[133] Barton, Bruce B. et all. *Life application Bible commentary on Philippians*, 1995: p. 50.

Capítulo 5

A importância vital da unidade cristã

(Fp 2.1-5)

Duas verdades são vitais com respeito à unidade da igreja:

Em primeiro lugar, *a unidade espiritual da igreja é produzida por Deus.* A unidade espiritual da igreja é uma obra exclusiva de Deus. Não podemos produzir unidade, mas apenas mantê-la. Todos aqueles que crêem em Cristo, em qualquer lugar, em qualquer tempo, fazem parte da família de Deus e estão ligados ao corpo de Cristo pelo Espírito.

Essa unidade não é externa, mas interna. Ela não é unidade denominacional, mas espiritual. Só existe um corpo de Cristo, uma Igreja, um rebanho, uma noiva. Todos aqueles que nasceram de novo e foram lavados no sangue do Cordeiro fazem parte dessa bendita família de Deus.

Essa unidade é construída sobre o fundamento da verdade (Ef 4.1-6). Por isso, a tendência ecumênica de unir todas as religiões, afirmando que a doutrina divide enquanto o amor une, é uma falácia. Não há unidade cristã fora da verdade.

Em segundo lugar, *a unidade espiritual da igreja precisa ser preservada com diligência.* William Barclay diz que o perigo que ameaçava a igreja de Filipos e ainda ameaça todas as igrejas saudáveis é a desunião.[134] Os negócios internos da igreja não iam tão bem quanto os negócios externos. Havia alguns transtornos em casa, diz William Hendriksen.[135] Paulo exorta a igreja de Filipos a tapar as brechas que estavam comprometendo a unidade da igreja, como já exortara a igreja de Éfeso (Ef 4.3).

Paulo recorre a esse tema, depois de o abordar no capítulo anterior (1.27). Ninguém pode destruir o fato de que pessoas que creram em Cristo, foram adotadas na família de Deus, nasceram do Espírito, foram seladas pelo Espírito e batizadas no corpo de Cristo pelo Espírito são um em Cristo Jesus. No entanto, essas mesmas pessoas podem quebrar essa comunhão como os membros de uma família que, em vez de viver em amor, vivem brigando entre si, deixando de desfrutar a alegria de uma convivência harmoniosa. Quando os crentes vivem brigando e falando mal uns dos outros, isso é um espetáculo lamentável e vergonhoso diante do mundo. Essa atitude desonra a Cristo e a própria igreja.

Paulo faz uma transição dos inimigos externos (1.28) para os perigos internos (2.1-4). Ralph Martin diz que essa transição que a palavra grega *oun,* "pois", demarca, presume que Paulo está deixando a ameaça de um mundo hostil, para tratar de um problema igualmente ameaçador, o da comunidade dividida.[136] Paulo alerta para o fato de que uma igreja dividida é uma presa fácil no caso de um ataque frontal da sociedade externa. Assim, não basta apenas ficar firme contra os perigos que vêm de fora; é preciso acautelar-se contra o perigo de esboroar-se por causa das divisões intestinas. Werner de Boor diz que, para Paulo, "uma santa e una igreja" não era apenas um artigo de fé.[137]

A palavra inicial usada por Paulo é traduzida melhor por "visto que", em vez de "se".[138] Esta conjunção grega *ei,* "se", implica a inexistência de qualquer dúvida quanto à realidade dessas bênçãos, quer na mente de Paulo, quer na experiência dos filipenses. Poderia ser traduzida assim: "Tão certo quanto...".[139]

Acompanhemos o ensino de Paulo sobre esse tema fundamental para a Igreja de Cristo em todos os tempos.

Os alicerces da unidade (2.1)

O apóstolo Paulo, antes de exortar a igreja sobre a questão da unidade cristã, dá a base doutrinária. Há quatro pilares que sustentam a unidade cristã. Esses pilares não são criados pela igreja, mas são dádivas de Deus à igreja. Robertson diz que há quatro fundamentos dados por Paulo para justificar o seu apelo à unidade. Ele coloca esses fundamentos em forma de cláusulas condicionais, ele assume em cada uma que a condição é verdadeira.[140] Esses pilares já existem, e eles precisam ser o alicerce da unidade.

J. A. Motyer destaca que podemos ver a obra da própria Trindade na construção da unidade da igreja. Os crentes estão em Cristo, experimentando a realidade do amor de Deus, pela ação do Espírito Santo.[141] J. B. Lightfoot diz que o apóstolo Paulo apela aos filipenses por meio de sua mais profunda experiência como cristãos para preservarem a paz e a concórdia. Dos quatro fundamentos da unidade, o primeiro e o terceiro são objetivos (exortação em Cristo e comunhão do Espírito), os princípios externos do amor e harmonia; enquanto o segundo e o quarto (consolação de amor e entranhados afetos e misericórdias) são subjetivos, os sentimentos interiores que nos inspiram.[142]

Em primeiro lugar, *exortação em Cristo* (2.1). A palavra grega *paraklesis* sugere que há uma obrigação colocada sobre os filipenses, oriunda diretamente de sua vida comum "em Cristo", para trabalharem juntos e em harmonia. Paulo está convidando os filipenses a lembrar-se de seu *status* de comunidade amada por Cristo.[143] Bruce Barton diz que todo crente tem recebido encorajamento, exortação e conforto de Cristo. Essa experiência comum deveria unir os crentes de Filipos.[144] William Barclay alerta para o fato de que ninguém pode caminhar desunido com o seu semelhante e ao mesmo tempo estar unido a Cristo. Ninguém pode viver a atmosfera de Cristo e viver ao mesmo tempo odiando os seus semelhantes.[145]

Em segundo lugar, *consolação de amor* (2.1). Robertson afirma que a palavra "consolação" aqui deveria ser traduzida por encorajamento e consolação, pois a idéia é terna persuasão do amor.[146] Aqui é o amor de Cristo pela igreja que Paulo tem em vista. Ao conclamá-los para que vivam juntos em harmonia, Paulo apela para os mais altos motivos: o amor que o Senhor da Igreja nutre por Seu povo deve impeli-los a viver dignamente.[147] O amor nos leva a amar como Cristo nos amou (1Jo 3.16). O amor nos leva a suportar uns aos outros. O amor nos leva a perdoar uns aos outros. O inferno é a condição eterna dos que fizeram da relação com Deus e seus semelhantes algo impossível porque destruíram em suas vidas o amor.

William Barclay alerta para o fato de que não significa só amar aos que nos amam, aos que nos agradam ou aos que são dignos de ser amados. Significa uma boa vontade invencível para aqueles que nos odeiam. É o poder de amar aos que não nos agradam, é a capacidade semelhante à capacidade de Jesus Cristo de amar o que não é amável nem digno de amor.[148]

Em terceiro lugar, *comunhão do Espírito* (2.1). A participação comum no Espírito, pela qual os crentes são batizados em um só corpo, deveria determinar a morte de toda desavença e espírito de partidarismo.[149] F. F. Bruce diz que o Espírito trouxe os cristãos de Filipos à comunhão uns com os outros. Aquele que os uniu em Cristo, também os uniu uns aos outros.[150] É o Espírito Santo quem produz a nossa comunhão com Deus e a nossa comunhão com o próximo. É o Espírito quem nos une a Deus e ao próximo de tal maneira que todo aquele que vive em desunião com seus semelhantes dá provas de não possuir o dom do Espírito.[151] Bruce Barton afirma: "Porque só há um Espírito, há um só corpo (Ef 4.4); facções ou divisões não têm lugar no corpo de Cristo".[152]

O Espírito Santo é o princípio unificador na igreja local (1Co 12.4-11). Somente Ele pode dar ordem ao caos e preservar a harmonia no corpo de Cristo. A não ser que o Espírito Santo reine, haverá confusão na igreja. Sem o Espírito Santo, não há vida nem poder na igreja, diz Robertson.[153] Onde reina o Espírito Santo, existe amor, porque o amor é fruto do Espírito.

Em quarto lugar, *entranhados afetos e misericórdias* (2.1). A palavra grega *splanchna,* "afetos", significa literalmente "as entranhas humanas", consideradas como a sede da vida emocional (1.8).[154] Enquanto no primeiro capítulo a palavra está se referindo ao amor de Paulo pelos filipenses, aqui ela se refere ao amor de Cristo por eles e por intermédio deles. Já a palavra grega *oiktirmoi,* "misericórdias", é a palavra que descreve a emoção humana da piedade terna, ou simpatia. A irmandade em uma igreja não se limita a "sentimentos" nem se resume em atividades de ajuda e frias ações. Certamente nossas "entranhas" precisam ser movidas, e as aflições do irmão precisam despertar em nós uma viva compaixão.[155]

Quando o Espírito Santo trabalha na vida do crente, o fruto do Espírito é produzido (Gl 5.22,23). Paulo destaca dois desses frutos que acentuam o verdadeiro cuidado de um para com o outro, o que pavimenta a unidade entre os crentes. "Afeto" refere-se à sensibilidade para com as necessidades e os sentimentos dos outros, enquanto "compaixão" significa o sentimento de dor que alguém sente ao ver o outro sofrer e o desejo de aliviá-lo desse sofrimento. Tal preocupação fortalece a unidade entre os crentes.[156] Toda desarmonia na igreja de Deus é falta dos entranhados afetos. É ausência de misericórdia.

Os perigos contra a unidade (2.3,4)

O apóstolo Paulo já havia mencionado o exemplo negativo de alguns crentes de Roma que estavam trabalhando com a motivação errada (1.15,17). Esse comportamento fere a comunhão entre os irmãos e perturba a unidade da igreja. Agora, Paulo fala sobre dois perigos que conspiram contra a unidade da igreja.

Em primeiro lugar, *partidarismo* (2.3). A igreja de Filipos tinha muitas virtudes, a ponto de Paulo considerá-la sua alegria e coroa (4.1). Mas essa igreja estava ameaçada por alguns sérios perigos na área da unidade. Havia tensões dentro da igreja. A comunhão estava sendo atacada. A palavra grega *eritheia,* traduzida por "partidarismo", é o resultado do egoísmo. Depois de Paulo mencionar a atitude mesquinha de alguns crentes de Roma que, movidos por inveja, pregavam a Cristo para despertar nele ciúmes, pensando que o seu trabalho apostólico era uma espécie de campeonato em busca de prestígio, o apóstolo volta, agora, suas baterias para apontar os perigos que estavam afetando, também, a unidade na igreja de Filipos.

O perigo de trabalhar sem unidade (1.27). Nada debilita mais a unidade do que os crentes estarem engajados no serviço de Deus sem unidade. A obra de Deus não pode avançar quando cada um puxa para um lado, quando cada um busca mais seus interesses do que a glória de Cristo. Na igreja de Filipos, havia ações desordenadas. Eles estavam todos lutando pelo evangelho, mas não juntos.[157]

O perigo de líderes buscarem seus próprios interesses (2.21). Paulo, ao enviar Timóteo à igreja de Filipos e dar bom testemunho acerca dele, denuncia, ao mesmo tempo, alguns líderes que buscavam seus próprios interesses. Esses líderes eram amantes dos holofotes; eles não buscavam a glória de Deus nem a edificação da igreja, mas a construção de monumentos aos seus próprios nomes.

O perigo de falsos mestres infiltrando-se na igreja (3.2). Os falsos mestres, os maus obreiros e a heresia são sempre uma ameaça à igreja. Os lobos sempre buscarão uma brecha para entrarem no meio do rebanho (At 20.29). Paulo está alertando a igreja de Filipos sobre os judaizantes. Estes tentavam desacreditar seu apostolado, ensinando que os gentios precisavam ser circuncidados caso desejassem ser salvos. Assim, eles negavam a suficiência da fé em Cristo e acrescentavam ritos judaicos como condição indispensável para a salvação.

O perigo do mundanismo na igreja (3.17-19). A unidade da igreja de Filipos estava sendo ameaçada por homens mundanos, libertinos e imorais. Essas pessoas fizeram Paulo sofrer de tal modo que o levaram às lágrimas (3.18). Paulo os chama de inimigos da cruz de Cristo (3.18). Essas pessoas eram mundanas, pois só se preocupavam com as coisas terrenas (3.19). Eram comilões, beberrões e imorais, com uma visão muito liberal da fé cristã, do tipo que está sempre dizendo: "isso não é pecado, não tem problema".[158] Em vez de a igreja seguir a vida escandalosa desses libertinos, deveria imitar o exemplo de Paulo (2.17).

O perigo de os crentes viverem em conflito dentro da igreja (4.2). Aqui o apóstolo está trabalhando com a questão do conflito entre lideranças da igreja local, pessoas que disputam entre si a atenção e os espaços de atuação na igreja. Paulo Lockmann, comentando esse texto, diz que, quando o trabalho era dirigido pela família de Evódia, o pessoal de Síntique não participava, e, quando era promovido por Síntique, quem não participava era o pessoal de Evódia.

Em segundo lugar, *vanglória ou egoísmo* (2.3). Vanglória é buscar glória para si mesmo. A palavra grega *kenodoxia,* traduzida por "vanglória", só aparece aqui em todo o Novo Testamento.[159] Ela denota uma inclinação orgulhosa que busca tomar o lugar de Deus e a estabelecer um *status* auto-assertivo que rapidamente induz ao desprezo do próximo (Gl 5.26). A vanglória destrói a verdadeira vida comunitária. Paulo colocou seu "dedo investigativo" bem na ferida dos filipenses.[160] Os membros da igreja de Filipos estavam causando discórdia por causa de suas atitudes ou ações. Eles desejavam reconhecimento ou distinção, não por puros motivos, mas meramente por ambição pessoal. Eles estavam criando partidos baseados em prestígio pessoal, ao mesmo tempo que desprezavam os outros.[161]

O imperativo da unidade (2.2)

O apóstolo Paulo está preso, algemado, na ante-sala do martírio, mas sua atenção não está voltada para si mesmo. Havia alegria no coração do apóstolo (4.4,10), mas sua medida ainda não estava cheia. Um grau mais elevado de unidade, de humildade e de solicitude em família podia completar o que ainda faltava no cálice da alegria de Paulo. Seu principal anseio não era a rápida libertação da prisão, mas o progresso espiritual dos filipenses.[162] Sua alegria não vem de suas condições pessoais, mas da condição da Igreja de Deus. Mesmo preso, Paulo diz que a igreja de Filipos era sua alegria e coroa (4.1). Suas orações em prol dos cristãos filipenses eram orações alegres (1.4). Todavia, agora, o apóstolo deseja que o cálice da sua alegria transborde e por isso ordena: "Completai a minha alegria, de modo que penseis a mesma cousa, tenhais o mesmo amor, sejais unidos de alma, tendo o mesmo sentimento" (2.2). Paulo não pode estar alegre enquanto o espírito de facção existir nessa generosa igreja de Filipos.

F. F. Bruce diz que Paulo exorta, na verdade, para que tenham unanimidade de coração. Não se trata da unanimidade formal que se consegue manter mediante o exercício do poder de veto; trata-se daquela unanimidade sincera de propósitos, pela qual ninguém deseja impor um veto sobre as pessoas.[163]

Essa mesma igreja que estava comprometida com Paulo no apoio missionário, dando-lhe conforto e sustento financeiro, estava sendo ameaçada por divisões internas, e isso toldava a alegria no coração do velho apóstolo.

Como a igreja poderia completar a alegria de Paulo?

Em primeiro lugar, *demonstrando unidade de pensamento* (2.2). A unidade de pensamento não é uma coisa fácil de alcançar, especialmente onde as pessoas têm uma mente ativa e um espírito independente.[164] O verbo grego *phronein*, usado aqui para definir "o pensar a mesma coisa", é muito importante nessa epístola, uma vez que aparece nela dez vezes, enquanto apenas mais treze vezes em todas as demais epístolas. Werner de Boor corretamente afirma que *phronein* não tem em vista o "pensamento" teórico do teólogo, mas o pensar prático, subordinado ao querer. Trata-se do *phronein* de Jesus Cristo, que neste caso não é o raciocínio doutrinário, com o qual o eterno Filho de Deus, sem dúvida, poderia ter apresentado uma imagem condizente de todas as coisas. Aqui se trata do "pensamento" que conduziu o Filho de Deus do trono da glória para a vergonha da morte na cruz! Se todos "pensarem" da maneira que Jesus Cristo também pensou, como Ele morreu por pecadores, não poderão se separar; hão de apegar-se aos irmãos.[165] Nessa mesma linha de pensamento, Moule diz que a palavra *phronein*, traduzida aqui por "mente", denota não uma capacidade intelectual, mas uma ação e uma atitude moral.[166]

Bruce Barton está correto quando diz que "ter uma só mente" não significa que os crentes têm de concordar em tudo; em vez disso, cada crente deve ter a mesma atitude de Cristo, que Paulo descreve em Filipenses 2.5-11.[167]

Em segundo lugar, *demonstrando unidade nos relacionamentos* (2.2). Os irmãos da igreja de Filipos precisam ter o mesmo amor uns pelos outros, igual ao que Cristo tem por eles. Bruce Barton diz que o amor de Cristo O trouxe do céu para a humilde condição da natureza humana, para morrer na cruz a favor dos pecadores. Muito embora os crentes não possam fazer o que Cristo fez, eles podem seguir Seu exemplo, quando expressam o mesmo amor na maneira de lidar uns com os outros.[168]

Em terceiro lugar, *demonstrando unidade espiritual* (2.2). A igreja precisa ser unida de alma. Jesus orou para que todos aqueles que crêem possam ser um como Ele e o Pai são um (Jo 17.22-24). Robertson diz que essa frase significa dois corações batendo como um só.[169] Na Igreja de Deus, não há espaço para disputas pessoais. A igreja não é um concurso de projeção pessoal nem um campeonato de desempenhos pessoais. A igreja é um corpo onde cada membro coopera com o outro, visando à edificação de todos.

Em quarto lugar, *demonstrando unidade de sentimento* (2.2). A igreja precisa ter o mesmo sentimento. A igreja é como um coro que deve cantar no mesmo tom. Os crentes não são competidores, mas cooperadores. Eles não são rivais, mas parceiros. Eles não estão lutando por causas pessoais, mas todos buscam a glória de Deus. Na Igreja de Deus, não devem existir disputas políticas, briga por cargos, ciúmes e invejas. O espírito de Diótrefes, que buscava primazia e desprezava os outros, não deve ser cultivado na Igreja de Deus (3Jo 9-11).

A virtude que promove a unidade (2.3-5)

A humildade é a virtude que promove a unidade. A humildade é o remédio para os males que atacam a unidade da igreja. A palavra grega *tapeinophrosyne* é um termo cunhado pelo cristianismo. Ralph Martin diz que "humildade" era uma expressão de opróbrio no pensamento clássico grego, tendo conotações de "servilismo", como nas atitudes de um homem vil, ou de um escravo.[170] Lightfoot diz que quase sempre entre os escritores gregos "humildade" tem um significado negativo.[171] Entre o povo de Deus, a humildade é um imperativo, pois "Deus escarnece dos escarnecedores, mas dá graça aos humildes" (Pv 3.34). Tiago diz que Deus resiste aos soberbos, mas dá graça aos humildes (Tg 4.6), e o apóstolo Pedro ordena: "Humilhai-vos, portanto, sob a poderosa mão de Deus, para que ele, em tempo oportuno, vos exalte" (1Pe 5.6). A humildade deve ser a marca do cristão, pois seu Senhor e Mestre foi "... manso e humilde de coração" (Mt 11.29). Os discípulos de Cristo demoraram a entender essa lição e muitas vezes discutiram sobre quem deveria ocupar a primazia entre eles. Nessas ocasiões, Jesus lhes dizia que maior é o que serve e que Ele mesmo veio não para ser servido, mas para servir (Mc 10.45). Vejamos três fatos importantes para o entendimento deste tema:

Em primeiro lugar, *o que é humildade?* (2.3). A humildade provém do conhecimento de Deus e de um correto conhecimento de si mesmo. Enquanto a ambição e o preconceito arruínam a unidade da igreja, a genuína humildade a edifica. Ser humilde envolve ter uma correta perspectiva sobre nós mesmos em relação a Deus (Rm 12.3), que por sua vez nos coloca numa correta perspectiva em relação ao próximo. O apóstolo Paulo deu o seu próprio testemunho em suas cartas. Durante a sua terceira viagem missionária, se qualificou de "... o menor dos apóstolos" (1Co 15.9), durante sua primeira prisão em Roma se intitulou de o menor dos menores de todos os santos (Ef 3.8), e um pouco mais tarde, durante o período que se estendeu da primeira à segunda prisão em Roma, levou essas descrições humildes de sua pessoa ao apogeu, designando-se de o principal dos pecadores (1Tm 1.15).[172] Jamais o orgulho prevalece no coração de alguém que conhece a Deus e a si mesmo. F. F. Bruce, citando James Montgomery, lança luz sobre o que é humildade:

O pássaro que alça as asas nos céus,
Constrói seu ninho lá embaixo, na terra.
E o que trina maviosamente,
Canta de noite quando tudo repousa.
Na cotovia e no rouxinol vemos
Quanta honra cabe à humildade.

O santo que usa a coroa mais brilhante do céu,
Curva-se em humilde adoração.
O peso da glória faz que se prostre,
Quanto mais se prostra mais sua alma ascende;
O escabelo da humildade deve estar
Bem perto do trono de Deus.[173]

Em segundo lugar, *como a humildade se manifesta?* (2.3,4). O apóstolo Paulo menciona duas manifestações da humildade:

A humildade olha para o outro com honra (2.3). No capítulo 1, Paulo colocou Cristo em primeiro lugar (1.21). Agora, coloca o outro acima do eu (2.3).[174] Uma pessoa humilde não tem sede de fama, projeção e aplausos. Ela não se embriaga com o poder. Não busca os holofotes do palco nem corre atrás das luzes da ribalta. Uma pessoa humilde não canta "quão grande és tu" diante do espelho. Werner de Boor diz que uma pessoa humilde tem prazer de realizar o serviço que quase não aparece, o trabalho que permanece nos bastidores, a obra insignificante, deixando com alegria aos outros aquilo que parece mais importante e obtém maior reconhecimento.[175]

A humildade busca o interesse do outro com solicitude (2.4). A igreja de Filipos era multirracial: Lídia era uma judia rica, a jovem liberta era uma escrava grega, e o carcereiro era um oficial romano da classe média. Nessas condições, não era fácil manter a unidade da igreja. Ter interesse em proteger os interesses alheios, porém, faz parte dos alicerces da ética cristã.[176] No mundo, cada um cuida primeiro de si, pensa somente em si, e seu olhar está atento apenas aos próprios interesses. Os interesses dos outros estão fora de seu verdadeiro campo de visão. Por isso, tampouco existe no mundo verdadeira comunhão, mas somente o medo recíproco e a ciumenta autodefesa contra o outro. Na irmandade da Igreja de Jesus, pode e deve ser diferente, diz Werner de Boor.[177]

É importante ressaltar que Paulo não exige que eu negligencie as minhas coisas e somente me engaje a favor dos outros. Contudo, Paulo espera que o meu olhar de amor e preocupação também caia sobre as necessidades, dificuldades e aflições do irmão, e presume que ainda restem tempo, energia e capacidade em quantidade suficiente.[178]

Em terceiro lugar, *o supremo exemplo da humildade* (2.5). No capítulo 2, Paulo cita quatro exemplos de humildade, ou seja, colocar o "outro" na frente do "eu" (2.5; 2.17; 2.20; 2.30). Entretanto, o argumento decisivo de Paulo é o exemplo de Cristo (2.5). F. F. Bruce diz que o exemplo de Cristo é sempre o argumento supremo de Paulo na exortação ética, principalmente quando trata do interesse altruísta pelo bem-estar do próximo. Se o exemplo de Cristo deve ser seguido, é melhor, então, manter maior interesse pelos direitos dos outros e pelos nossos deveres do que cuidar principalmente de nossos direitos e dos deveres dos outros.[179]

O texto que registra a encarnação, o esvaziamento, a humilhação, a obediência, a morte e a exaltação de Cristo não é uma peça doutrinária escrita por um teólogo de gabinete que está traçando reluzentes verdades doutrinárias contra o nevoeiro denso das heresias, mas foi escrito por um homem que, com humildade e amor, lutava pela verdadeira concórdia de seus irmãos. Essas frases, com todo o seu teor dogmático, são parte dessa luta. A leitura correta desse magno texto cristológico não é apenas aquela que trata da humilhação e exaltação do Filho de Deus, mas a que abala nosso coração egoísta e vaidoso por meio da trajetória seguida por Jesus.[180]

NOTAS DO CAPÍTULO 5

[134] BARCLAY, William. *Filipenses, Colosenses, I y II Tesalonicenses*, 1973: p. 38.

[135] HENDRIKSEN, William. *Efésios e Filipenses.* Editora Cultura Cristã. São Paulo, SP, 2005: p. 466.

[136] MARTIN, Ralph P. *Filipenses: Introdução e comentário*, 1985: p. 98.

[137] DE BOOR, Werner. *Carta aos Efésios, Filipenses e Colossenses*, 2006: p. 2002.

[138] MARTIN, Ralph P. *Filipenses: Introdução e comentário*, 1985: p. 99.

[139] BRUCE, F. F. *Filipenses*, 1992: p. 74.

[140] ROBERTSON, A. T. *Paul's joy in Christ: Studies in Philippians.* Fleming H. Revell Company. London, 1917: p. 111.

[141] MOTYER, J. A. *The message of Philippians*, 1991: p. 103.

[142] LIGHTFOOT, J. B. *St Paul's Epistle to the Philippians.* Macmillan and Co. London, 1873: p. 105.

[143] MARTIN, Ralph P. *Filipenses: Introdução e comentário*, 1985: p. 99.

[144] BARTON, Bruce B. et all. *Life application Bible commentary on Philippians*, 1995: p. 51.

[145] BARCLAY, William. *Filipenses, Colosenses, I y II Tesalonicenses*, 1973: p. 40.

[146] ROBERTSON, A. T. *Paul's joy in Christ: Studies in Philippians*, 1917: p. 112,113.

[147] MARTIN, Ralph P. *Filipenses: Introdução e comentário*, 1985: p. 99.

[148] BARCLAY, William. *Filipenses, Colosenses, I y II Tesalonicenses*, 1973: p. 40.

[149] MARTIN, Ralph P. *Filipenses: Introdução e comentário*, 1985: p. 100.

[150] BRUCE, F. F. *Filipenses*, 1992: p. 74.

[151] BARCLAY, William. *Filipenses, Colosenses, I y II Tesalonicenses*, 1973: p. 41.

[152] BARTON, Bruce B. *Life application Bible commentary on Philippians*, 1995: p. 51.

[153] ROBERTSON, A. T. *Paul's joy in Christ: Studies in Philippians*, 1917: p. 114.

[154] MARTIN, Ralph P. *Filipenses: Introdução e comentário*, 1985: p. 101.

[155] DE BOOR, Werner. *Carta aos Efésios, Filipenses e Colossenses*, 2006: p. 203.

[156] Barton, Bruce B. *Life application Bible commentary on Philippians*, 1995: p. 51.

[157] Lockmann, Paulo. *Filipenses.* Imprensa Metodista. São Paulo, SP, 1995: p. 39.

[158] Lockmann, Paulo. *Filipenses*, 1995: p. 41,42.

[159] Pidge, J. B. G. *Comentario expositivo sobre el Nuevo Testamento.* n.d: p. 372.

[160] Martin, Ralph P. *Filipenses: Introdução e comentário*, 1985: p. 102.

[161] Barton, Bruce B. et all. *Life application Bible commentary on Philippians*, 1995: p. 53.

[162] Hendriksen, William. *Efésios e Filipenses*, 2005: p. 468.

[163] Bruce, F. F. *Filipenses.* Editora Vida. Florida, EUA, 1992: p. 71.

[164] Robertson, A. T. *Paul's joy in Christ: Studies in Philippians*, 1917: p. 116.

[165] de Boor, Werner. *Carta aos Efésios, Filipenses e Colossenses*, 2006: p. 202,203.

[166] Moule, H. C. G. *Studies in Philippians.* Kregel Publications. Grand Rapids, Michigan, 1977: p. 62.

[167] Barton, Bruce B. et all. *Life application Bible commentary on Philippians*, 1995: p. 52.

[168] Barton, Bruce B. et all. *Life application Bible commentary on Philippians*, 1995: p. 52.

[169] Robertson, A. T. *Paul's joy in Christ: Studies in Philippians*, 1917: p. 116.

[170] Martin, Ralph P. *Filipenses: Introdução e comentário*, 1985: p. 102.

[171] Lightfoot, J. B. *St Paul's Epistle to the Philippians*, 1873: p. 107.

[172] Hendriksen, William. *Efésios e Filipenses*, 2005: p. 470.

[173] Bruce, F. F. *Filipenses*, 1992: p. 72.

[174] Wiersbe, Warren W. *Comentário bíblico expositivo.* Vol. 6, 2006: p. 94.

[175] de Boor, Werner. *Carta aos Efésios, Filipenses e Colossenses*, 2006: p. 204.

[176] Bruce, F. F. *Filipenses*, 1992: p. 72.

[177] de Boor, Werner. *Carta aos Efésios, Filipenses e Colossenses*, 2006: p. 205.

[178] de Boor, Werner. *Carta aos Efésios, Filipenses e Colossenses*, 2006: p. 205.

[179] Bruce, F. F. *Filipenses*, 1992: p. 73.

[180] de Boor, Werner. *Carta aos Efésios, Filipenses e Colossenses*, 2006: p. 205,206.

Capítulo 6

A humilhação e a exaltação de Cristo

(Fp 2.6-11)

Meu caro leitor, chamo a sua atenção para duas verdades:

Em primeiro lugar, *a doutrina sempre deve estar conectada com a vida.* Este é o texto clássico da cristologia na Bíblia. William Barclay diz que esta é a passagem mais importante e mais emocionante que Paulo escreveu sobre Jesus.[181] Aqui Paulo alcança as alturas mais excelsas da sua reflexão teológica acerca do Filho de Deus. O contexto, porém, revela-nos que Paulo está tratando de um problema prático na vida da igreja, exortando os crentes à unidade. Ou seja, Paulo está expondo seu pensamento teológico mais profundo para resolver um problema de desunião dentro da igreja. A teologia deve sempre estar conectada com a vida. A teologia determina a ética. A doutrina é a base para a solução dos problemas que atacam a igreja. A igreja precisa pensar teologicamente. Nessa mesma linha de pensamento, William Barclay comenta:

> Em Paulo, sempre se unem teologia e ação. Para ele, todo sistema de pensamento deve necessariamente converter-se em um caminho de vida. Em muitos aspectos, esta passagem é uma daquelas que têm o maior alcance teológico do Novo Testamento, mas toda a sua intenção está em persuadir e impulsionar os filipenses a viverem uma vida livre de desunião, desarmonia e ambição pessoal.[182]

Em segundo lugar, *a vida de Cristo é o exemplo máximo para a igreja.* Paulo corrige os problemas internos da igreja de Filipos não apenas lhes oferecendo conceitos doutrinários, mas lhes mostrando o exemplo de Cristo. O melhor remédio para curar os males da igreja é olhar para Jesus, seguir os Seus passos e imitar o Seu exemplo (2.5). A igreja de Filipos estava sendo atacada por inimigos externos e por intrigas internas. Para corrigir os dois males, ela deveria olhar para Jesus.

William Hendriksen corretamente afirma que há uma área em que Cristo não pode ser nosso exemplo. Não podemos imitar os Seus atos redentivos nem sofrer e morrer vicariamente. Contudo, com o auxílio de Deus, podemos e devemos imitar o espírito que serviu de base para esses atos. A atitude de auto-renúncia, com vistas a auxiliar outros, deveria estar presente e se expandir na vida de cada discípulo (Mt 11.29; Jo 13.12-17; 13.34; 21.19; 1Co 11.1; 1Ts 1.6; 1Pe 2.21-23; 1Jo 2.6).[183] O mesmo autor ainda afirma que, se Jesus não é nosso exemplo, então nossa fé é estéril, e nossa ortodoxia, morta.[184]

A humilhação de Cristo (2.6-8)

Há cinco verdades que precisamos destacar sobre a humilhação de Cristo:

Em primeiro lugar, *Ele voluntariamente abriu mão de Seus direitos* (2.6). Jesus antes da Sua encarnação sempre foi coigual a Deus, coeterno e consubstancial com o Pai e com o Espírito Santo. Ele sempre foi revestido de glória e majestade (Jo 17.5). Ele é o criador de todas as coisas, visíveis e invisíveis (Cl 1.16). Ele sempre foi adorado pelos anjos nas coortes celestiais.

A expressão "... subsistindo em forma de Deus" (2.6) é muito importante para entendermos a divindade de Cristo. William Barclay diz que a palavra "subsistindo", *hyparquein,* descreve aquilo que é essencial e que não pode ser mudado; aquilo que possui uma forma inalienável. Descreve características inatas, imutáveis e inalteráveis. Assim, pois, Paulo começa dizendo que Jesus é Deus em forma essencial, inalterável e imutável.[185]

Logo Paulo continua dizendo que Jesus "subsistia em forma de Deus". Há duas palavras gregas para forma: *morphe* e *schema.* Elas podem ser traduzidas por "forma". Todavia, elas não têm o mesmo significado. *Morphe* é a forma essencial de algo que jamais se altera; *schema* é a forma externa que muda de tempo em tempo e de circunstância em circunstância. A palavra que Paulo usa com referência a Jesus é *morphe.* Jesus está de maneira inalterável na forma de Deus; a Sua essência e o Seu ser imutável são divinos.[186] Werner de Boor faz referência à bela formulação de Lutero: "O Filho do Pai, Deus por natureza...".[187] Nessa mesma linha de pensamento, Ralph Martin diz que *morphe* é "natureza essencial" em oposição à "forma exterior" *schema.*[188] O erudito Lightfoot diz que *morphe* não implica características externas, mas atributos essenciais.[189]

Há uma profunda conexão entre *morphe* e *schema*. A primeira se refere àquilo que é anterior, essencial e permanente na natureza de uma pessoa ou coisa; enquanto a segunda aponta para o seu aspecto externo, acidental ou aparente.[190] O que Paulo está dizendo, pois, em Filipenses 2.6 é que Cristo Jesus sempre foi (e continuará sempre a ser) Deus por natureza, a expressa imagem da divindade. O caráter específico da divindade, segundo se manifesta em todos os atributos divinos, foi e é a sua eternidade, diz William Hendriksen.[191] Jesus sempre foi Deus (Jo 1.1; Cl 1.15; Hb 1.3). Ele sempre possuiu toda a glória e louvor no céu. Com o Pai e o Espírito Santo, Ele sempre reinou sobre o Universo.

Há outra verdade gloriosa exposta no versículo 6. O apóstolo Paulo diz que Jesus "... não julgou como usurpação o ser igual a Deus", ou seja, não considerou a sua igualdade com Deus como "algo que deveria reter egoisticamente". A palavra grega aqui traduzida por "usurpação" é *harpagmos*. Essa palavra só aparece aqui em toda a Bíblia.[192] Ela provém de um verbo que significa arrebatar ou aferrar-se. Jesus não se agarrou aos privilégios de Sua igualdade com Deus; antes, abriu mão dela por amor aos homens.[193] Ralph Martin afirma que para o Cristo pré-encarnado, em vez de imaginar que igualdade com Deus significa *obter*, ao contrário Ele *deu* – deu até tornar-se vazio.[194]

F. F. Bruce interpreta corretamente essa questão, quando escreve:

> Não existe a questão de Cristo tentar arrebatar, ou apoderar-se da igualdade com Deus: Ele é igual a Deus, porque o fato de Ele *ser igual a Deus* não é *usurpação*; Cristo é Deus em Sua natureza. Tampouco

> existe a questão de Cristo procurar reter essa igualdade pela força. A questão fundamental é, antes, que Cristo não usou a Sua igualdade com Deus como desculpa para auto-afirmação, ou autopromoção; ao contrário, Ele a usou como ocasião para renunciar a todas as vantagens ou privilégios que a divindade lhe proporcionava, como oportunidade para auto-empobrecimento e auto-sacrifício sem reservas.[195]

Jesus não pensou em si mesmo; Ele pensou nos outros. Ele abriu mão de Sua glória, desceu das alturas e usou os Seus privilégios para abençoar os outros.

Certa feita, um repórter entrevistou um próspero orientador profissional.

– Qual é o segredo do seu sucesso? – perguntou o repórter.

– Se quiser descobrir o que vale realmente um trabalhador, não lhe dê responsabilidades; dê-lhe privilégios – respondeu o orientador.

Muitas pessoas são capazes de cumprir responsabilidades, mas só um líder sabe lidar com privilégios, usando-os para ajudar os outros. Um homem inescrupuloso se servirá dos privilégios para autopromoção.[196] Jesus usou os Seus privilégios celestes para o bem dos outros. A Bíblia diz que Ele andou por toda parte, fazendo o bem e curando a todos os oprimidos do diabo (At 10.38).

Vale a pena contrastar a atitude de Cristo com a atitude de Lúcifer (Is 14.12-15) e com a de Adão (Gn 3.1-7). Lúcifer foi o mais elevado dos seres angélicos, assistindo junto ao trono de Deus (Ez 28.11-19), mas desejou ser igual a Deus e sentar-se sobre o seu trono. Lúcifer declarou: "Eu farei", mas Jesus disse: "Faça-se a tua vontade". Lúcifer não se contentou em ser uma criatura, queria ser o criador; Jesus era o criador e, voluntariamente, fez-se homem. A humildade de Jesus constitui uma reprovação ao orgulho de Satanás. Lúcifer não se contentou apenas em ser rebelde, mas invadiu o Éden e tentou o homem à rebeldia. Adão tinha tudo, era o rei da criação, mas Satanás lhe disse: "Sereis como Deus". O homem, então, tentou agarrar algo que estava para além do seu alcance e assim precipitou toda a raça humana no pecado e na morte. Adão pensou unicamente em si; Jesus Cristo pensou nos outros.[197] F. F. Bruce coloca essa questão assim:

> Adão, criado homem, à imagem de Deus, tentou arrebatar para si uma falsa e ilusória igualdade com Deus. Cristo alcançou o senhorio universal mediante a Sua renúncia, enquanto Adão perdeu o seu senhorio mediante o roubo do fruto proibido.[198]

Robertson corretamente afirma que Paulo não está aqui nos oferecendo apenas um debate teológico técnico acerca da Pessoa de Cristo; em vez disso, ele está fazendo um uso prático da encarnação de Cristo para enfatizar a grande lição da humildade como fator essencial para a unidade. Cristo se humilhou, e nós também devemos fazê-lo.[199]

Em segundo lugar, *Ele se esvaziou* (2.6,7). O Filho de Deus deixou o céu, a glória, o Seu trono, e se fez carne, fez-se homem, se encarnou. Aquele que em seu estado pré-encarnado é igual a Deus é a mesma Pessoa que se esvaziou. O verbo grego *kenou,* "se esvaziou", literalmente significa "tirar algo de um recipiente até que fique vazio" ou "derramar algo até que não fique nada". Paulo usa aqui a palavra mais gráfica possível para que se faça patente o sacrifício da encarnação.[200]

Do que Cristo se esvaziou? Certamente não foi da existência "na forma de Deus". Isso seria impossível. Ele continuou sendo o Filho de Deus. Indubitavelmente, Cristo renunciou ao Seu ambiente de glória. Ele pôs de lado Sua majestade e glória (Jo 17.5), mas permaneceu Deus. Ele jamais deixou de ser possuidor da natureza divina. Mesmo em Seu estado de humilhação, jamais se despojou de Sua divindade.

F. F. Bruce diz que, em vez de explorar a Sua igualdade com Deus, e dela auferir vantagens, Jesus despojou a si próprio, não de Sua natureza divina, visto que isso seria impossível, mas das glórias e das prerrogativas da divindade. Isso não significa que Ele *trocou* a Sua natureza (ou forma) divina pela natureza (ou forma) de um escravo: significa que Ele demonstrou a natureza (ou forma) de Deus na natureza (ou forma) de um escravo.[201] No cenáculo, Jesus pegou uma bacia, cingiu-se com uma toalha, lavou os pés dos discípulos e, depois, disse-lhes: "Vós me chamais Mestre e Senhor; e dizeis bem, porque eu o sou. Ora, se eu, o Senhor e Mestre, vos lavei os pés, também vós deveis lavar os pés uns aos outros".[202]

William Hendriksen, abrindo uma janela para o nosso entendimento dessa gloriosa verdade, diz que a inferência é que Cristo se esvaziou de Sua existência-na-forma-de-igualdade-a-Deus e ilustra com alguns pontos.[203]

Ele renunciou Sua relação favorável à lei divina. Enquanto permanecia no céu, nenhuma carga de culpa pesava sobre Ele. Entretanto, ao encarnar-se, Ele que não conheceu pecado, se fez pecado por nós (Jo 1.29; 2Co 5.1); Ele que era bendito eternamente, se fez maldição por nós (Gl 3.13) e levou sobre o Seu corpo, no madeiro, todos os nossos pecados (1Pe 2.24).

Ele renunciou às Suas riquezas. O apóstolo Paulo diz: "Pois conheceis a graça de nosso Senhor Jesus Cristo, que sendo rico, se fez pobre por amor de vós, para que, pela sua pobreza, vos tornásseis ricos" (2Co 8.9). Jesus renunciou a tudo, até mesmo a Sua própria vida (Jo 10.11). Tão pobre Ele era que tomou emprestado um lugar para nascer, uma casa para pernoitar, um barco de onde pregar, um animal para cavalgar, uma sala para reunião e um túmulo para ser sepultado.

Ele renunciou à Sua glória celestial. Ele tinha glória com o Pai antes que houvesse mundo (Jo 17.5). No entanto, voluntariamente deixou a companhia dos anjos e veio para ser perseguido e cuspido pelos homens. Do infinito sideral de eterno deleite, na própria presença do Pai, voluntariamente Ele desceu a este reino de miséria a fim de armar a Sua tenda com os pecadores. Ele, em cuja presença os serafins cobriam o rosto, o objeto da mais solene adoração, voluntariamente desceu a este mundo, onde foi "... desprezado e o mais rejeitado entre os homens; homem de dores e que sabe o que é padecer" (Is 53.3).

Ele renunciou ao livre exercício de Sua autoridade. Ele voluntariamente submeteu-se ao Pai e diz: "Eu não procuro a minha própria vontade, e, sim, a daquele que me enviou" (Jo 5.30).

Bruce Barton, comentando este texto, diz que Jesus não era parte homem e parte Deus; Ele era completamente humano e completamente divino. Antes de Jesus vir ao mundo, as pessoas só podiam conhecer a Deus parcialmente. Depois, puderam conhecê-Lo plenamente, porque Ele se tornou visível e tangível. Cristo é a perfeita expressão de Deus em forma humana. Ele é a exegese de Deus. Nele habita corporalmente toda a plenitude da divindade. Como homem, porém, Jesus estava limitado a lugar, tempo e outras limitações humanas. Contudo, Ele não deixou de ser plenamente Deus ao tornar-se humano, embora abdicasse de Sua glória e de Seus direitos.[204]

É estonteante refletir que Paulo tenha escrito sobre esse sublime mistério da humilhação de Cristo para ensinar a igreja de Filipos acerca da humildade nos relacionamentos. Werner de Boor corrobora, dizendo:

> Será que haveria pessoas em Filipos que deveriam doar, ceder, tornarem-se humildes, mas que declarariam: "Não se pode exigir isso de mim. Isso é demais para minha boa vontade!"? Será que qualquer um deles, Paulo ou os filipenses, ainda poderia reivindicar quaisquer direitos no serviço a esse Jesus? "Esvaziar-se", renunciar, tornar-se pequeno – será que ainda seria difícil agir assim após ouvir acerca desse Jesus e da forma que Ele abriu mão do que tinha: passando da forma divina para a figura de escravo? Será que esse incrível salto para as profundezas poderia ser comparável ao salto de um pecador perdido e condenado para se tornar escravo desse Jesus? Se em algum momento houver problemas com a concórdia e a comunhão dos irmãos porque alguma coisa ainda está sendo retida, então Jesus ainda não foi corretamente apreendido. É justamente por isso, não para escrever capítulos de uma obra doutrinária, que Paulo mostra Jesus aos filipenses.[205]

Em terceiro lugar, *Ele serviu* (2.7). O eterno Filho de Deus não nasceu em um palácio. O Rei dos reis não nasceu num berço de ouro nem entrou no mundo por intermédio de uma família rica e opulenta; ao contrário, nasceu num berço pobre, numa família pobre, numa cidade pobre. Jesus nasceu numa manjedoura, cresceu numa carpintaria e morreu numa cruz. Ele não veio ao mundo para ser servido, mas para servir (Mc 10.45).

Jesus não pensou nos outros apenas de forma abstrata; Ele assumiu a forma de servo, Ele serviu. A palavra "forma" aqui é novamente *morphe,* uma forma absoluta. Jesus não fingiu ser um servo. Ele não foi um ator no desempenho de um papel. Ele, de fato, foi servo! A única pessoa no mundo que tinha razão de fazer valer os Seus direitos, os renunciou. E foi Cristo Jesus mesmo que disse: "Pois, no meio de vós, eu sou como quem serve" (Lc 22.27). Jamais algum servo serviu com mais imutável lealdade, abnegada devoção e irrepreensível obediência do que Jesus.[206] O Senhor de todos tornou-se servo de todos (Mt 20.27; Mc 10.45). Jesus assumiu a forma de servo como Ele era antes em toda a eternidade em forma de Deus.[207]

Jesus serviu aos pecadores, às meretrizes, aos cobradores de impostos, aos doentes, aos famintos, aos tristes e enlutados. Quando os Seus discípulos, no cenáculo, ainda alimentavam pensamentos soberbos, Ele pegou uma toalha e uma bacia e lavou os seus pés (Jo 13.1-13).

Em quarto lugar, *Ele se tornou em semelhança de homens* (2.7). O que Paulo quer dizer quando afirmou que Cristo Jesus se tornou em semelhança de homens e foi reconhecido em figura humana? Aquele que era em forma de Deus e era igual a Deus desde toda a eternidade tomou a forma de um homem num particular momento da História. Robertson corretamente afirma que a humanidade, embora completamente real e não meramente aparente como diziam os docéticos gnósticos, não podia expressar tudo o que Cristo verdadeiramente era. Ele continuou subsistindo em forma de Deus em Sua natureza essencial a despeito de Sua encarnação. Ele conservou a natureza essencial de Deus mesmo depois de se tornar à semelhança de homens.[208]

William Hendriksen diz que, embora os homens estivessem certos em reconhecer a humanidade de Cristo, estavam errados em dois aspectos: rejeitaram a Sua *humanidade impecável* e a Sua *divindade.* E ainda que toda a Sua vida e, particularmente, as Suas palavras e os

Seus atos poderosos manifestassem "a divindade velada na carne", todavia, de um modo geral, rejeitaram as Suas reivindicações e O odiaram ainda mais por causa delas (Jo 1.11; 5.18; 12.37). Cumularam-no de escárnio, de forma que "Era desprezado e o mais rejeitado entre os homens..." (Is 53.3).[209]

Neste versículo 7, o apóstolo Paulo usa três palavras gregas que nos ajudam a entender o que significa para o eterno Filho de Deus se tornar em semelhança de homens. A primeira palavra é *morphe,* a mesma palavra usada no versículo 6 para expressar "forma de Deus". Essa palavra foi utilizada para falar de Jesus em forma de Deus, e, agora, é usada para falar Dele em forma de servo. A palavra *morphe*, segundo James Montgomery Boyce, tem diferentes significados na língua grega; ela se refere tanto ao caráter interno de uma pessoa ou coisa quanto à forma externa que expressa esse caráter interno. Desta maneira, quando Paulo diz que Cristo tomou a forma de servo, ele quer dizer que Cristo se tornou homem tanto interna quanto externamente. Já temos visto que Cristo possuía internamente a natureza de Deus e a apresentou externamente. Nesse mesmo sentido, Jesus também tinha a natureza de homem tanto interna quanto externamente. Exceto no pecado, qualquer coisa que pode ser dita acerca do homem, pode ser dita também sobre o Senhor Jesus Cristo.[210] Jesus, assim, tornou-se semelhante ao primeiro Adão, que foi sem pecado, mas, como segundo Adão, fez-se pecado por nós, para vencer o pecado e nos remir dele.

A segunda palavra é *homoioma,* traduzida por Paulo por "semelhança". Se a palavra *morphe* refere-se à natureza do homem, a palavra *homoioma* fala dessa externa aparência. Jesus não tem apenas sentimentos e intelecto humanos, Ele tem também a aparência humana. Ele nasceu como um bebê judeu e cresceu como os outros meninos da sua raça. Do ponto de vista físico, Ele foi perfeitamente homem.

A terceira palavra é *schema,* traduzida por Paulo por "figura". O pensamento aqui é de conformidade com a experiência humana. Paulo diz que Cristo não era apenas um homem internamente em Seus sentimentos e emoções; não apenas um homem externamente em Seu aspecto físico, mas também Ele era um homem no sentido de que suportou tudo o que nós suportamos neste mundo: tentação (Hb 4.15), sofrimento (1Pe 2.21) e desapontamento (Mt 23.37). Tudo o que diz respeito à experiência humana, Jesus também vivenciou.

Em quinto lugar, *Ele se sacrificou* (2.8). Muitas pessoas estão prontas a servir outros, se isso não lhes custar nada. Mas, se há um preço a pagar, então perdem o interesse. Jesus Cristo serviu sacrificialmente e foi obediente até à morte e morte de cruz. Cristo se esvaziou e se humilhou quando se fez homem. Depois desceu mais um degrau nessa escalada da humilhação, quando se fez servo; mas desceu às profundezas da humilhação quando suportou a morte e morte de cruz. Por seu sacrifício, Ele transformou esse horrendo patíbulo de morte no símbolo mais glorioso do cristianismo (Gl 6.14).

James Boyce diz que a cruz de Cristo é a grande ênfase de toda a Bíblia, tanto do Antigo quanto do Novo Testamento (Lc 24.25-27). Dois quintos do Evangelho de Mateus são dedicados à última semana de Jesus em Jerusalém. Mais de três quintos do Evangelho de Marcos, um terço do Evangelho de Lucas e quase a metade do Evangelho de João dão a mesma ênfase. O apóstolo João fala da crucificação de Cristo como "a hora" vital para a qual Cristo veio ao mundo e o Seu ministério foi exercido (Jo 2.4; 7.30; 8.20;

12.23; 12.27; 13.1; 17.1).[211] O mesmo autor diz que Cristo morreu para remover o pecado (1Pe 2.24; 2Co 5.21), satisfazer a justiça divina (Rm 3.24-26) e revelar o amor de Deus (Jo 3.16; 1Jo 4.10).[212]

A morte de cruz tinha três características:

Ela foi dolorosíssima. Era a pena de morte aplicada apenas aos escravos e delinqüentes. Havia um adágio que dizia que uma pessoa crucificada morria mil mortes. Muitas vezes, o crucificado passava vários dias pregado na cruz e morria lentamente com câimbras, asfixia e dores atrozes.

Ela foi ultrajante. A pessoa condenada era açoitada, ultrajada e cuspida e, depois, tinha de carregar a cruz debaixo do escárnio da multidão até o lugar da sua execução.

Ela foi maldita. Uma pessoa que era dependurada na cruz era considerada maldita (Dt 21.23; Gl 3.13). Assim, enquanto Jesus estava pendente na cruz, embaixo Satanás e suas hostes o assaltavam; em volta, os homens o escarneciam; de cima, Deus o cobria com um manto de trevas, símbolo de maldição; e, de dentro, prorrompia o amargo grito: "Deus meu, Deus meu, por que me desamparaste?". De fato, Cristo desceu a este inferno, o inferno do Calvário.[213] Ralph Martin diz que o Senhor da Igreja consentiu em terminar Sua vida num patíbulo romano e, do ponto de vista judeu, morrer sob condenação divina. Assim, Jesus nos conduz como em um imenso mergulho, dos mais elevados píncaros aos mais profundos vales, da luz de Deus para a escuridão da morte.[214]

Todavia, não devemos olhar a morte de Cristo na cruz apenas sob a perspectiva do sofrimento físico. A grande questão é: por que Ele morreu na cruz? Cristo não foi para a cruz porque Judas O traiu por ganância, porque os sacerdotes O entregaram por inveja ou porque Pilatos O condenou por covardia. Ele foi para a cruz porque o Pai

O entregou por amor e porque Ele a si mesmo se entregou por nós. Ele morreu pelos nossos pecados (1Co 15.3). Nós O crucificamos. Nós estávamos lá no Calvário não como platéia, mas como agentes da Sua crucificação.

A cruz de Cristo é a maior expressão do amor de Deus por nós e a mais intensa expressão da ira de Deus sobre o pecado. O pecado é horrendo aos olhos de Deus. A santa justiça de Deus exige a punição do pecado. O salário do pecado é a morte. Então, Deus num ato incompreensível de eterno amor, puniu o nosso pecado em Seu próprio Filho, para poupar-nos da morte eterna. Na cruz, Jesus bebeu sozinho o cálice amargo da ira de Deus contra o pecado. Na cruz, Jesus foi desamparado para sermos aceitos. Ele não desceu da cruz para podermos subir ao céu. Ele se fez maldição na cruz para sermos benditos de Deus. Ele morreu a nossa morte para vivermos a Sua vida.

A exaltação de Cristo (2.9-11)

Cinco verdades devem ser também declaradas sobre a exaltação de Cristo:

Em primeiro lugar, *a exaltação de Cristo é obra de Deus* (2.9). O apóstolo Paulo faz uma transição daquilo que Cristo fez para aquilo que Deus fez para ele e por ele.[215] O mesmo que se humilhou foi exaltado, e essa exaltação lhe foi dada pelo Pai. O caminho da exaltação passa pelo vale da humilhação; a estrada para a coroação passa pela cruz. Deus exalta aqueles que se humilham (Mt 23.13; Lc 14.11; 18.14; Tg 4.10; 1Pe 5.6). Foi por causa do sofrimento da morte que essa recompensa lhe foi dada (Hb 1.3; 2.9; 12.2), diz William Hendriksen.[216]

Deus não deixou Cristo na sepultura, mas O levantou da morte, O levou de volta ao céu e O glorificou (At 2.33;

Hb 1.3). Deus deu a Jesus "toda autoridade no céu e na terra" (Mt 28.18). Deu a Ele autoridade para julgar (Jo 5.27) e O fez Senhor de vivos e de mortos (Rm 14.9), fazendo-O assentar à sua destra, acima de todo principado e potestade, constituindo-O cabeça de toda a Igreja (Ef 1.20-22).[217] Fica claro que essa elevação de Jesus não foi a restituição da natureza divina, porque Ele jamais a perdeu, mas foi a restituição da glória eterna que tinha com o Pai antes que houvesse mundo, da qual voluntariamente havia se despojado (Jo 17.5,24).[218]

Porque Jesus se humilhou, Ele foi exaltado. Jesus mesmo é a suprema ilustração de Sua própria afirmação: "... todo o que se exalta será humilhado; mas o que se humilha será exaltado" (Lc 18.14b). Os homens cuspiram Nele, mas Deus O exaltou. Os homens Lhe deram nomes insultuosos, mas o Pai Lhe deu o nome que está acima de todo nome.

Em segundo lugar, *a exaltação de Cristo é uma exaltação incomparável* (2.9). A expressão "o exaltou sobremaneira" é a tradução do verbo grego *hyperhypsoun,* que só aparece aqui em todo o Novo Testamento e apenas pode ser aplicado a Cristo. O significado desse versículo é "superexaltado". Deus, o Pai, enalteceu o Filho de uma forma transcendentemente gloriosa. Soergueu-O à mais elevada excelsitude. Se os salvos vão para o céu, Cristo ultrapassou os céus (Hb 4.14), foi feito mais alto que os céus (Hb 7.26) e subiu acima de todos os céus (Ef 4.10).[219]

A exaltação incomparável de Cristo consistiu no fato de Ele ter recebido um nome que está acima de todo nome (2.9). Ele recebeu esse nome por herança (Hb 1.4) e por doação (2.9). O nome de Jesus, agora, é posse da Igreja. Por meio desse nome, os enfermos são curados (At 3.6), os perdidos são salvos (At 4.12), os crentes são perdoados

(1Jo 2.12), os cativos são libertos (Lc 10.17), as orações são respondidas (Jo 16.23). O apóstolo Paulo diz que devemos fazer tudo em nome de Jesus (Cl 3.17).

O grande título pelo qual Jesus chegou a ser conhecido na Igreja primitiva foi *Kyrios.* A palavra *Kyrios* tem uma história luminosa. 1) Começou significando amo ou proprietário. 2) Chegou a ser o título oficial dos imperadores romanos. 3) Passou a ser o título dos deuses pagãos. 4) *Kyrios* era o termo grego que traduzia Jeová na versão grega das Escrituras, a Septuaginta. Dessa maneira, quando Jesus era chamado *Kyrios,* Senhor, significava que era o Senhor e o Dono de toda vida, o Rei dos reis e Senhor de imperadores; o Senhor de uma maneira em que os deuses pagãos e os ídolos mudos jamais poderiam ser. Jesus era nada menos que divino.[220]

A grande ênfase do Novo Testamento é sobre o senhorio de Cristo. O Filho de Deus é chamado de Senhor mais de seiscentas vezes no Novo Testamento. Somente os que confessam que Jesus é Senhor podem ser salvos. A Bíblia diz que quem tem o Filho tem a vida.

Podemos ilustrar esse ponto como segue:

Havia um homem muito rico que investira grande fortuna em quadros famosos. Tinha orgulho de ter uma das mais requintadas coleções dos maiores e mais consagrados pintores do mundo. Um dia, seu filho único foi ferido numa viagem e morreu. O amigo do seu filho, que o acompanhara em seus últimos suspiros, buscando consolar o pai aflito, enviou-lhe um quadro que ele mesmo pintara do rosto do seu amado filho. Ao receber o quadro, o pai colocou-o numa bela moldura e o pendurou junto a seus quadros mais seletos. Ao perceber que sua morte também se avizinhava, o homem rico chamou seu mordomo e lhe fez as suas últimas recomendações. Determinou que os quadros fossem leiloados e que o dinheiro arrecadado fosse entregue a uma instituição filantrópica. Em dia determinado, o leilão aconteceu. Para surpresa de todos, o mordomo começou leiloando o quadro do filho. Ninguém demonstrou interesse pelo quadro, pois ele não tinha nenhum atrativo nem valor artístico. Alguém, porém, resolveu fazer uma oferta e comprou o quadro. Para maior surpresa ainda, o mordomo anunciou o término do leilão. Quando todos estavam inconformados e buscando uma explicação, o mordomo leu o testamento do seu patrão: "Aquele que comprar o quadro do meu filho, tem todos os outros, pois quem tem o meu filho tem tudo". Podemos, de igual forma, afirmar: "Quem tem o Filho, tem a vida", e quem tem Jesus, tem tudo!

Em terceiro lugar, *a exaltação de Cristo é uma exaltação que exige rendição de todos* (2.10). William Hendriksen diz que, em Seu regresso em glória, Jesus será adorado por toda a corporação de seres morais, em todos os setores do Universo. Os anjos e os seres humanos redimidos farão isso com intenso regozijo, enquanto os condenados o farão com profunda tristeza e profundo remorso (Ap 6.12-17).[221] Ralph Martin diz que a aclamação final do Universo é, também, o *slogan* confessional da Igreja de hoje: "Jesus Cristo é Senhor". Tanto o Universo quanto a Igreja unem-se num reconhecimento comum e num tributo unânime.[222]

Na segunda vinda de Cristo, os três mundos vão se dobrar aos seus pés: os céus, a terra e o inferno. Todo joelho se curvará diante do poderoso nome de Jesus no céu (os anjos e os remidos), na terra (os homens) e debaixo da terra (demônios e condenados). Com que júbilo se ajoelharão diante de Jesus os que foram salvos por Ele. Com que pavor cairão de joelhos os que passaram orgulhosamente por Ele ou O rejeitaram!

J. A. Motyer corretamente afirma que Jesus foi coroado no dia da Sua ascensão. Embora o dia da Sua coroação já tenha ocorrido, infelizmente poucos têm conhecimento desse fato auspicioso. Aqueles que amam a Jesus sabem disso e se regozijam nesse fato, mas milhões de pessoas no mundo não sabem que Jesus é o Rei coroado e somente se prostrarão aos Seus pés quando Ele se manifestar em glória. Naquele dia, todo joelho vai se dobrar, toda língua vai confessar que Jesus é Senhor, mas nem todos serão salvos.[223]

Em quarto lugar, *a exaltação de Cristo é uma exaltação proclamada universalmente* (2.11). Toda língua vai confessar que Jesus é Senhor. Ele é o Rei dos reis, o Senhor dos senhores, o todo-poderoso Deus, diante de quem os poderosos deste mundo vão ter de se curvar e confessar que Ele é Senhor. Aqueles que zombaram Dele, vão ter de confessar que Ele é Senhor. Aqueles que O negaram e Nele não quiseram crer, vão ter de admitir e confessar que Ele é Senhor. Essa confissão será pública e universal. Todo o Universo vai ter de se curvar diante daquele que se humilhou, mas foi exaltado sobremaneira!

Isso não significa, obviamente, que todas as pessoas serão salvas. Somente os que agora reconhecem que Jesus é Senhor e O confessam como tal serão salvos (Rm 10.9). Entretanto, na segunda vinda de Cristo, nenhuma língua ficará silenciosa, nenhum joelho ficará sem se dobrar. Todas as criaturas e toda a criação reconhecerão que Jesus é Senhor (2.11; Ap 5.13).

Em quinto lugar, *a exaltação de Cristo é uma exaltação que tem um propósito estabelecido* (2.11). A exaltação de Jesus tem dois propósitos claros:

Que todos, em todo o Universo reconheçam o senhorio de Jesus Cristo. Deus O exaltou, O fez assentar à Sua destra e O constituiu Senhor absoluto de todo o Universo. O senhorio de Cristo foi a grande ênfase da pregação apostólica (At 2.36; Rm 10.9; Ap 17.14; 19.16). Importa que todos, em todos os lugares, em todos os tempos, reconheçam e confessem que Jesus é Senhor. Em virtude do poder e majestade de Jesus Cristo, e pelo reconhecimento de que Ele é Senhor, toda língua O proclamará.[224]

Pense nos termos pelos quais temos o privilégio de darmos glória a Ele. Pense sobre os Seus nomes. Jesus Cristo é o Maravilhoso Conselheiro, o Deus Forte, o Pai da Eternidade, o Príncipe da Paz. Ele é o Messias, o Senhor, o Primeiro e o Último, o Começo e o Fim, o Alfa e o Ômega, o Ancião de Dias, o Rei dos reis e o Senhor dos senhores, o Deus conosco, Aquele que era, que é e que há de vir. Ele é chamado de a Porta das Ovelhas, o Bom Pastor, o Grande Pastor e o Supremo Pastor, o Bispo das nossas almas. Ele é o Cordeiro sem defeito e sem mácula, o Cordeiro imolado antes da fundação do mundo. Ele é a Palavra, a Luz do Mundo, a Luz da Vida, a Árvore da Vida, a Palavra da Vida, o Pão que desceu do céu, a Ressurreição e a Vida, o Caminho, a Verdade e a Vida. Ele é o Deus Emanuel. Ele é a Rocha, o Noivo, a Sabedoria de Deus, nosso Redentor. Ele é o Cabeça de todas as coisas, o Amado em quem Deus tem todo o seu prazer. Meu caro amigo, é Jesus Cristo tudo isso para você? Se Jesus representa todas essas gloriosas verdades para você, então os seus joelhos se dobrarão e a sua língua confessará que Ele é Senhor para a glória de Deus Pai.[225]

Que o Pai seja glorificado pela exaltação do Filho. O fim último de todas as coisas é a glória de Deus (1Co 10.31). Paulo já havia advertido contra o pecado da vanglória (2.3). Toda a glória que não é dada a Deus é glória vazia, é vanglória. Cristo se humilhou e suportou a cruz, para a glória de Deus (Jo 17.1). Ele ressuscitou, e foi exaltado para a glória de Deus (2.11). Ralph Martin sintetiza esse glorioso pensamento de forma sublime:

> O senhorio de Cristo não compete com o de Deus, nem a entronização do Filho ameaça a monarquia única do Pai. Cristo rege para a glória de Deus Pai. Sua soberania é dom do Pai (2.9). Aquilo que Ele se recusou a usurpar egoisticamente, num ato de enaltecimento próprio, destituído de sentido, aprouve ao Pai conceder-lhe, agora. A última palavra é *Pai,* como que para enfatizar que, agora, no Cristo preexistente, encarnado, humilhado, exaltado, Deus e o mundo estão unidos, e um novo segmento da humanidade, um microcosmo da nova ordem de Deus para o Universo, está nascendo (Ef 1.10).[226]

Toda a vida e obra de Jesus apontam não para a Sua glória pessoal, mas objetiva a glória de Deus. Jesus atrai os homens para si para poder levá-los a Deus. Na igreja de Filipos, havia alguns que tinham o propósito de satisfazer as suas ambições egoístas. No entanto, o único propósito de Jesus era servir a outros, ainda que isso lhe tenha custado a maior de todas as renúncias. Enquanto alguns membros da igreja de Filipos queriam ser o centro das atenções, Jesus queria que o único centro da atenção fosse Deus. Assim, também, o seguidor de Cristo nunca deve pensar em si mesmo, senão nos demais; não deve buscar a sua própria glória, senão a glória de Deus.[227]

NOTAS DO CAPÍTULO 6

[181] BARCLAY, William. *Filipenses, Colosenses, I y II Tesalonicenses*, 1973: p. 42.

[182] BARCLAY, William. *Filipenses, Colosenses, I y II Tesalonicenses*, 1973: p. 45.

[183] HENDRIKSEN, William. *Efésios e Filipenses*, 2005: p. 472.

[184] HENDRIKSEN, William. *Efésios e Filipenses*, 2005: p. 273.

[185] BARCLAY, William. *Filipenses, Colosenses, I y II Tesalonicenses*, 1973: p. 43.

[186] BARCLAY, William. *Filipenses, Colosenses, I y II Tesalonicenses*, 1973: p. 43.

[187] DE BOOR, Werner. *Carta aos Efésios, Filipenses e Colossenses*, 2005: p. 206.

[188] MARTIN, Ralph P. *Filipenses: Introdução e Comentário*. 1985: p. 107

[189] LIGHTFOOT, J. B. *St. Paul's Epistle to the Philippians*, 1873: p. 108.

[190] HENDRIKSEN, William. *Efésios e Filipenses*, 2005: p. 473.

[191] HENDRIKSEN, William. *Efésios e Filipenses*, 2005: p. 474.

[192] MOULE, H. C. G. *Studies in Philippians*, 1982: p. 64.

[193] BARCLAY, William. *Filipenses, Colosenses, I y II Tesalonicenses*, 1973: p. 44.

[194] MARTIN, Ralph P. *Filipenses: Introdução e comentário*, 1985: p. 110.

[195] BRUCE, F. F. *Filipenses*, 1992: p. 78.

[196] WIERSBE, Warren W. *Comentário bíblico expositivo*. Vol. 6, 2006: p. 95.

[197] WIERSBE, Warren W. *Comentário bíblico expositivo*. Vol. 6, 2006: p. 95.

[198] BRUCE, F. F. *Filipenses*, 1992: p. 78.

[199] ROBERTSON, A. T. *Paul's joy in Christ: Studies in Philippians*, 1917: p. 123.

[200] BARCLAY, William. *Filipenses, Colosenses, I y II Tesalonicenses*, 1973: p. 44.

[201] BRUCE, F. F. *Filipenses*, 1992: p. 78,79.

[202] João 13.13,14.

[203] HENDRIKSEN, William. *Efésios e Filipenses*, 2005: p. 477,478.

[204] Barton, Bruce B. et all. *Life application Bible commentary on Philippians*, 1995: p. 58.

[205] de Boor, Werner. *Carta aos Efésios, Filipenses e Colossenses*, 2005: p. 210.

[206] Hendriksen, William. *Efésios e Filipenses*, 2005: p. 480.

[207] Robertson, A. T. *Paul's joy in Christ: Studies in Philippians*, 1917: p. 130.

[208] Robertson, A. T. *Paul's joy in Christ: Studies in Philippians*, 1917: p. 131.

[209] Hendriksen, William. *Efésios e Filipenses*, 2005: p. 483.

[210] Boyce, James Montgomery. *Philippians: An expositional commentary.* Ministry Resources Library. Grand Rapids, Michigan, 1971: p. 138.

[211] Boyce, James Montgomery. *Philippians: An expositional commentary*, 1971: p. 143.

[212] Boyce, James Montgomery. *Philippians: An expositional commentary*, 1971: p. 145-148.

[213] Hendriksen, William. *Efésios e Filipenses*, 2005: p. 483,484.

[214] Martin, Ralph P. *Filipenses: Introdução e comentário*, 1985: p. 113.

[215] Martin, Ralph P. *Filipenses: Introdução e comentário*, 1985: p. 114.

[216] Hendriksen, William. *Efésios e Filipenses*, 2005: p. 485.

[217] Barton, Bruce B. et all. *Life application Bible commentary on Philippians*, 1995: p. 63.

[218] Bonnet, L. y Schroeder, A. *Comentario del Nuevo Testamento.* Tomo 3, 1982: p. 553.

[219] Hendriksen, William. *Efésios e Filipenses*, 2005: p. 485.

[220] Barclay, William. *Filipenses, Colosenses, I y II Tesalonicenses*, 1973: p. 47.

[221] Hendriksen, William. *Efésios e Filipenses*, 2005: p. 487.

[222] Martin, Ralph P. *Filipenses: Introdução e comentário*, 1985: p. 115.

[223] Motyer, J. A. *The message of Philippians*, 1984: p. 122.

[224] Hendriksen, William. *Efésios e Filipenses*, 2005: p. 489.

[225] Boyce, James Montgomery. *Philippians: An expositional commentary*, 1971: p. 160.

[226] Martin, Ralph P. *Filipenses: Introdução e comentário*, 1985: p. 115.

[227] Barclay, William. *Filipenses, Colosenses, I y II Tesalonicenses*, 1973: p. 48.

Capítulo 7

A salvação, uma dádiva a ser desenvolvida

(Fp 2.12-16)

A TEOLOGIA NÃO É ESPECULAÇÃO filosófica; ela produz vida. James Montgomery Boyce diz que a verdade conduz à ação.[228] Ralph Martin diz que, em seguida ao hino soteriológico (Fp 2.6-11), Paulo prossegue, a fim de fazer uma aplicação penetrante. "Assim, pois" é uma expressão voltada para a conclusão da seção mencionada. Paulo não está começando um novo assunto, mas fazendo uma aplicação do assunto anterior. O chamado é para a obediência.[229]

O conhecimento e a experiência não têm nenhum valor se não nos ajudam a viver nos vales da vida e se não nos capacitam a viver em amor. Depois que

Paulo tratou do exemplo de Cristo, falando acerca da Sua humilhação e exaltação, volta a exortar a igreja à obediência e à unidade. Paulo é um pastor e, por isso, antes de exortar os crentes, revela a eles o seu amor, chamando-os de "amados meus" (1.7,8; 2.12). Paulo tem tato e diplomacia ao lidar com as pessoas, especialmente quando vai exortálas à obediência (Gl 6.1).

Destacamos três pontos:

Em primeiro lugar, *o exemplo de Cristo é o nosso maior estímulo à obediência* (2.12). O problema da igreja de Filipos era a desarmonia entre os crentes produzida pelo egoísmo. Os crentes estavam se atritando a ponto de alguns trabalharem na igreja para a promoção pessoal ou o maior reconhecimento do seu grupo (Fp 2.3). A base dessa atitude mesquinha era o egoísmo (Fp 2.4). Então, Paulo exorta os crentes a olharem o exemplo de Cristo e terem o mesmo sentimento que houve Nele (Fp 2.5). Depois que Paulo detalhou os estágios da humilhação e exaltação de Cristo, cobrou da igreja um posicionamento. Lightfoot diz que Paulo mostrou o exemplo da humilhação de Cristo para guiá-los, e o exemplo da exaltação de Cristo para encorajá-los.[230]

A preposição "pois" no versículo 12 é um elo de ligação entre o que Paulo estava falando e o que agora vai falar. Assim como Jesus obedeceu ao Pai, os cristãos também devem obedecer. Ele diz que o exemplo de Cristo, a Sua humilhação e a recompensa de Sua exaltação são a principal razão para a igreja viver em obediência. O que nós cremos precisa se refletir em nosso modo de vida. Nossa teologia precisa produzir vida.

Em segundo lugar, *a doutrina sempre tem propósitos práticos* (2.12). Essas gloriosas doutrinas expostas em Filipenses 2.5-11 têm um propósito prático. A doutrina tem a finalidade de conduzir a igreja na verdade. Ela é a base da ética e o alicerce da vida. Ainda ecoam em nossos ouvidos a verdade celestial acerca do Filho de Deus que desceu da glória para a vergonha da cruz, e isso por amor de nós, pecadores. Somos exortados a agir à luz desse vasto e insondável amor. O ensino de Paulo nos mostra que a doutrina sempre conduz ao cristianismo prático.[231] Quanto mais estudamos teologia, tanto mais humildes deveremos ser. Quanto mais luz temos na mente, tanto mais amor deveremos ter no coração.

Em terceiro lugar, *a obediência do cristão é ultracircunstancial* (2.12). Alguns crentes estavam muito dependentes da presença física de Paulo em Filipos para viverem de conformidade com a Palavra. Esses crentes sofriam de uma espécie de nostalgia, vivendo um saudosismo dos tempos áureos que Paulo esteve com eles (Fp 1.27). Contudo, Paulo estava preso em Roma, e eles deveriam manter o mesmo compromisso, apesar da sua ausência. Eles deveriam pôr a sua confiança em Deus, e não na presença do apóstolo entre eles.

William Hendriksen diz que a obediência dos filipenses não deveria ser motivada pela presença de Paulo, nem durar só enquanto ele estivesse em seu meio.[232] O cristão obedece não porque o pastor está presente, ou para agradar a esse ou àquele grupo. Sua obediência independe das circunstâncias e das pessoas.

Examinaremos esse texto e extrairemos dele três gloriosas verdades, acerca da nossa salvação.

A salvação recebida (2.12)

A salvação não é uma conquista do homem, mas um presente de Deus. Ela é nossa, não por direito de conquista, mas por dádiva imerecida. A salvação não é um prêmio pelas nossas obras, mas um troféu da graça de Deus. Há duas verdades que merecem ser destacadas aqui:

Em primeiro lugar, *a salvação é um presente de Deus a nós, e não uma conquista nossa* (2.12). Quando o apóstolo Paulo diz: "... desenvolvei a *vossa* salvação..." (Fp 2.12; grifo do autor), ele não está afirmando que ela nos pertence por direito de conquista. Ela é nossa porque nos foi dada. Ela é nossa porque alguém a comprou por um alto preço e no-la deu gratuitamente. A nossa salvação foi comprada por um alto preço. Ela não foi comprada por prata ou ouro, mas pelo precioso sangue de Cristo (1Pe 1.18,19).

Em segundo lugar, *a salvação verdadeiramente nos pertence* (2.12). Muitos cristãos, por não estarem arraigados nas doutrinas da graça, ficam inseguros acerca desse ponto, pensando que a salvação nos é dada num momento e tomada em outro; que podemos estar salvos num dia e perdidos no outro. Isso é absolutamente impossível. A salvação é um presente que nos foi dado para sempre (Rm 8.1). Uma vez salvo, salvo para sempre (Rm 8.31-39). Uma vez membro da família de Deus, jamais seremos deserdados (Rm 8.17). Uma vez ovelha de Cristo, jamais alguém poderá nos arrancar da mão de Cristo (Jo 10.28).

Paulo diz: "... desenvolvei a *vossa* salvação..." (Fp 2.12; grifo do autor). O estudioso da língua grega H. C. G. Moule diz que a palavra "vossa" é fortemente enfática.[233]

A salvação desenvolvida (2.12,13)

Destacamos aqui cinco pontos:

Em primeiro lugar, *a soberania de Deus não anula a responsabilidade humana* (2.12). Há dois equívocos muito comuns acerca da salvação: o primeiro deles é pensar que a salvação é o resultado do esforço humano. A maioria das religiões prega que o homem abre o seu próprio caminho rumo a Deus. Por conseguinte, a salvação é o resultado de mero esforço humano.

O segundo equívoco é pensar que a salvação é uma parceria do homem com Deus. O sinergismo prega que a salvação é resultado da obra de Deus conjugada com a cooperação humana. O versículo 12 não diz: "trabalhai para a vossa salvação", mas "desenvolvei a vossa salvação". Ninguém pode desenvolver a sua salvação a não ser que Deus já tenha trabalhado nele.[234]

A verdade bíblica insofismável é que a salvação é obra exclusiva de Deus. Contudo, o fato de Deus nos dar graciosamente a salvação, não significa que ficamos passivos nesse processo. A salvação é de Deus e nos é dada por Deus, mas precisamos desenvolvê-la. Corretamente Robertson afirma que a graça de Deus não é uma desculpa para não fazermos nada. Antes, ela é uma forte razão para fazermos tudo. Tanto na religião quanto na natureza, somos cooperadores de Deus (1Co 3.6-9). Nós plantamos e regamos, mas Deus dá-nos a semente, o solo, envia o sol e a chuva e faz a semente crescer e frutificar.[235]

H. C. G. Moule diz que a principal referência à salvação aqui é à glória final.[236] Ela precisa ser "efetuada" na vida prática, à vista da aproximação do "dia de Cristo", que lhes completará a salvação (Rm 13.11).[237]

William Hendriksen interpreta corretamente quando diz que a palavra "desenvolvei" traz a idéia de um esforço contínuo, vigoroso, estrênuo: "Continuem a desenvolver". Embora, salvos de uma vez por todas quando cremos em Jesus, os crentes não são salvos de um só golpe (por assim dizer). Sua salvação é um processo (Lc 13.23; At 2.47;

2Co 2.15). É um processo no sentido em que eles mesmos, longe de permanecerem passivos ou inativos, tomam parte ativa. É um prosseguir, um seguir após, um avançar com determinação, uma contenda, uma luta, uma corrida (Rm 14.18; 1Co 9.24-27; 1Tm 6.12).[238]

Warren Wiersbe ainda nos ajuda na compreensão desse verbo "desenvolvei". Ele diz que esse verbo tem o sentido de "trabalhar até a consumação", como quem trabalha em um problema de matemática até chegar ao resultado final. No tempo de Paulo, esse termo também se referia a "trabalhar em uma mina" extraindo dela o máximo possível de minério valioso, ou "trabalhar em um campo" obtendo a melhor colheita possível. O propósito que Deus deseja que alcancemos é a semelhança com Cristo (Rm 8.29).[239]

Recebemos de graça essa gloriosa propriedade; mas, agora, precisamos cultivá-la. Não a cultivamos para possuí-la, mas porque a possuímos. F. F. Bruce está correto quando diz que, neste contexto, Paulo não está exortando cada membro da igreja a empenhar-se na obra de sua salvação pessoal; Paulo está pensando na saúde e no bem-estar geral da igreja como um todo. Cada crente e todos os crentes, num corpo só, precisam prestar atenção a esse fato.[240]

Conforme já analisamos, a palavra traduzida por "desenvolvei" no versículo 12, o verbo grego *katergazesthai,* sempre incorpora a idéia de levar a cabo, de fazer uma coisa em forma plena, completa e perfeita, de modo que seja terminada e concluída.[241] O caminho da salvação foi delineado no hino soteriológico (Fp 2.6-11). Resta aos filipenses aplicá-lo em sua vida coletiva a fim de resolver as rivalidades e as desavenças e crescerem na graça.

Em segundo lugar, *a posse e o desenvolvimento da salvação produzem reverência, e não relaxamento* (2.12). Quando

Paulo fala em "temor e tremor", não está falando de temor servil. Esse não é o temor de um escravo se arrastando aos pés do seu senhor. Não é o temor ante a perspectiva do castigo.[242] Deus não é um policial ou guarda cósmico diante de quem devemos ter medo; nem, também, é um pai bonachão e complacente; ao contrário, Ele é majestoso, santo e misericordioso. Nosso grande temor deve ser em ofendê-Lo e desagradá-Lo, depois de Ele ter nos amado a ponto de nos dar seu Filho para morrer em nosso lugar.

Nessa mesma linha de pensamento, F. F. Bruce escreve:

> É evidente que a atitude recomendada pelo apóstolo aqui nada tem a ver com o terror servil; o apóstolo tranqüiliza os crentes de Roma, dizendo: "[...] não recebestes o espírito de escravidão para outra vez estardes em temor" (Rm 8.15). Trata-se, antes, de uma atitude de reverência e profundo respeito, na presença de Deus, de extrema sensibilidade à Sua vontade, de consciência de nossa responsabilidade à vista de havermos de prestar contas perante o tribunal de Cristo.[243]

Lightfoot diz que esse temor é uma espécie de ansiedade para fazer o que é certo.[244] Robertson corretamente afirma que as pessoas hoje não tremem na presença de Deus e têm um fraco senso de temor. O grande sermão do evangelista Jonathan Edwards "Pecadores nas mãos de um Deus irado" não encontraria eco nos dias de hoje. Vivemos numa geração extremamente complacente. Ficaram para trás os dias em que os Puritanos falavam em agonia de arrependimento.[245]

As pessoas que mais tiveram intimidade com Deus foram as que mais se prostraram reverentes aos Seus pés. Os que tiveram uma visão da Sua glória foram aqueles que caíram prostrados no chão em reverente adoração. Hoje, muitos demonstram intimidade com Deus em palavras, mas uma imensa distância Dele na vida.

Em terceiro lugar, *o desejo pela salvação é obra de Deus em nós* (2.13). O apóstolo Paulo esclarece: "Porque Deus é quem efetua em vós tanto o querer como o realizar...". Ralph Martin diz que não ficamos entregues a nós mesmos, nesta tarefa, pois Deus é quem efetua em nós tanto o querer quanto o realizar.[246]

William Barclay diz que Deus é quem desperta o desejo Dele em nossos corações. É verdade que "nossos corações estão inquietos até que descansam Nele" e também que "nem sequer podemos começar a buscá-Lo a não ser que Ele já nos tenha encontrado. O começo do processo da salvação não depende de nenhum desejo humano; só Deus é quem pode despertá-lo.[247]

F. F. Bruce corretamente afirma que o Espírito realiza o que a lei não consegue realizar: a lei poderia dizer às pessoas o que deveriam fazer, mas não podia suprir-lhes o poder, nem mesmo a vontade de fazê-lo; o Espírito supre ambas as coisas (Rm 8.3,4; 2Co 3.4-6).[248] Por intermédio do Espírito Santo, Deus "energiza" e "capacita" o Seu povo para as tarefas que Ele deseja que ele faça (1Co 12.4-7). Deus dá o desejo e a habilidade. Deus trabalha nos crentes e os crentes trabalham para Deus. Os crentes se tornam cooperadores de Deus.[249]

Não há nenhum desejo em nós por Deus e pela Sua obra que não proceda do próprio Deus. Mesmo quando estamos desenvolvendo a nossa salvação, temos consciência de que é Deus quem está operando em nós mediante o Seu Espírito. Em última instância, não somos nós quem trabalhamos, mas Deus trabalha em nós e por nosso intermédio.

O trabalho de Deus começa com a nossa vontade, e a vontade precede a ação. À parte da obra de Deus em nosso coração, jamais teremos a vontade livre quando se trata de realidades espirituais. Na verdade, não temos vontade livre em nenhuma coisa que envolva nossa capacidade física, intelectual e espiritual. Não temos capacidade de decidir por nós mesmos ter 50% a mais de quociente de inteligência. Não temos capacidade de decidir ter um centímetro a mais em nosso tamanho. De igual modo, não temos capacidade de escolher Deus. Somente Adão antes da Queda teve livre-arbítrio. Somos como um homem à beira de um profundo abismo. Enquanto estivermos à beira do abismo, temos livre vontade. Entretanto, se cairmos nele, não teremos condições de, por nosso próprio esforço, sairmos de lá. Desde a queda de Adão, todos nós nascemos com a total incapacidade de escolhermos a Deus. Ninguém jamais pode desejar a Deus sem que primeiro Deus predisponha a Sua vontade. Ninguém pode fazer a vontade de Deus a não ser que o próprio Deus venha e o tire do abismo e lhe diga: "Este é o caminho, andai por ele".[250]

Werner de Boor apresenta essa sublime verdade de forma esclarecedora, como segue:

> Realmente, nenhum de nós poderá ter no coração o menor anseio por salvação se Deus não nos despertar previamente da condição de "mortos em delitos e pecados" (Ef 2.1) e nos atrair para a salvação. A cada um, porém, em quem Deus realizou isso, cumpre dizer agora com máxima seriedade: não brinque com essa salvação, siga-a realmente, não deixe escapar essa hora da graça, justamente porque ela não é apenas o seu próprio "estado de ânimo", a sua própria 'idéia", mas a atuação decididamente divina em seu coração. O querer gerado por Deus – que responsabilidade isso traz para nós! Realmente só podemos aproveitar esse querer "com temor e tremor, em sagrada seriedade![251]

Em quarto lugar, *a continuação do processo da salvação também é obra de Deus em nós* (2.13). William Barclay diz que a continuação desse processo depende de Deus: sem a Sua ajuda, não se pode fazer nenhum progresso no bem; sem a Sua ajuda, nenhum pecado pode ser vencido. Somente por meio da ação de Deus em nós, podemos superar o mal e praticar o bem.[252] A verdadeira vida cristã não pode permanecer no mesmo lugar; deve estar em contínuo progresso.

O apóstolo Paulo diz que Deus é quem efetua em nós tanto o querer como *o realizar* (Fp 2.13). Não apenas o desejo, mas também toda obra realizada em nós é ação divina.

A palavra grega usada por Paulo aqui é *energein*. William Barclay diz que sobre esse verbo precisamos observar duas coisas importantes: sempre é usado com respeito à ação de Deus; e sempre é aplicado a uma ação eficaz. Todo o processo da salvação é uma ação de Deus, e essa ação é eficaz porque é a Sua ação. A ação de Deus não pode ser frustrada nem ficar inconclusa; deve ser plenamente concluída.[253]

William Hendriksen diz que, se não fosse o fato de Deus estar agindo em nós, jamais poderíamos desenvolver a nossa salvação. Ele ilustra essa verdade assim:

> O ferro elétrico é inútil a menos que seu plugue esteja acoplado à tomada. À noite não haverá luz na sala a menos que a eletricidade flua pelos fios de tungstênio para dentro da lâmpada, cada filamento mantendo contato com os cabos que vêm da fonte de energia. As rosas do jardim não podem alegrar o coração humano com a sua beleza e fragrância a menos que extraiam sua virtude dos raios solares. Melhor ainda: "Como pode o ramo produzir fruto de si mesmo, se não permanecer na videira; assim, nem vós podeis dar, se não permanecerdes em mim" (Jo 15.4). Assim também os filipenses só

> poderão operar sua própria salvação permanecendo num vivo e ativo contato com seu Deus.[254]

Em quinto lugar, *a obra da salvação é resultado da vontade de Deus* (2.13). A salvação é realizada por Deus em nós não contra a Sua vontade, mas em consonância com ela. A nossa salvação é o resultado da expressa vontade soberana de Deus. Tudo provém de Deus. Nossa salvação tem início e consumação na boa, perfeita e agradável vontade de Deus.

A salvação demonstrada (2.14-16)

O apóstolo Paulo esteve falando na necessidade de obediência na tarefa de "desenvolver" a salvação (Fp 2.12). A obediência, porém, pode ser de bom grado ou de má vontade. Esta última é uma espécie de obediência que equivale à desobediência. Pedro fala da prática da hospitalidade enquanto se lastima (1Pe 4.9). Agora, Paulo exorta: "Fazei tudo sem murmurações nem contendas" (Fp 2.14).[255] Destacamos aqui quatro pontos:

Em primeiro lugar, *a salvação é demonstrada por intermédio de relacionamentos transformados* (2.14). Paulo retorna ao problema básico descrito nos versículos 1 a 4. Os crentes da igreja de Filipos estavam fazendo as coisas com a motivação errada (Fp 2.3,4). Eles estavam trabalhando, mas sem sintonia uns com os outros. Havia partidarismo e discordância entre eles. A igreja estava dividida. Paulo, então, exorta os crentes, dando-lhes duas ordens. Os dois pecados mencionados são exatamente aqueles que macularam o povo judeu em sua travessia do deserto (Êx 16.7; Nm 11.1).[256]

J. A. Motyer diz que contenda refere-se a uma atitude interna, ou seja, uma atitude e atividade da mente e do coração, enquanto murmuração é algo externo, aquilo que manifestamos proveniente do coração e da mente. Assim, esses dois pecados cobrem todos os nossos pensamentos e ações em relação às outras pessoas.[257] Nessa mesma trilha de pensamento, Lightfoot diz que murmuração é um pecado moral, e contenda é um pecado de rebelião intelectual contra Deus.[258] Como a igreja deveria demonstrar a sua salvação por intermédio de seus relacionamentos?

Eles deveriam fazer tudo sem murmurações (Fp 2.14). A palavra que Paulo usa para "murmuração" é *goggysmos.* Ela evoca o murmúrio de rebelião e infidelidade dos filhos de Israel em sua peregrinação pelo deserto (1Co 10.10).[259] Os israelitas murmuraram contra Deus e contra Moisés. Eles reclamavam reiteradamente das privações, dizendo que jamais deveriam ter deixado o Egito (Nm 11.1-6; 14.1-4; 20.2; 21.4,5). Moisés os descreveu como "... geração perversa e depravada" (Dt 32.5). Quando o povo estava no Egito, eles murmuravam porque estavam no Egito. Quando saíram do Egito, murmuravam porque saíram do Egito. Eles murmuraram porque não tinham nada para comer. E, quando Deus providenciou o maná para eles comerem, eles murmuraram porque não tinham carne. Eles murmuraram durante quarenta anos no deserto e, quando chegaram à Terra Prometida, ainda continuaram a murmurar. Muitos de nós somos como eles. Deus nos abençoa, mas há algumas coisas de que nós não gostamos. Deus então nos abençoa mais, e nós ainda continuamos a murmurar.[260]

Eles deveriam fazer tudo sem contendas (Fp 2.14). A palavra "contendas" no grego é *dialogismoi.* Esta palavra descreve as disputas e debates inúteis e até mal-intencionados que engendram dúvidas e vacilações.[261] Essa palavra tem uma conotação legal de "dissensões", "litígios" e indica que os filipenses estavam apelando até para tribunais pagãos a fim de resolver as suas diferenças (1Co 6.1-11).[262]

Por que murmurações e contendas são atitudes tão reprováveis? Primeiro, essas atitudes são completamente opostas à atitude de Cristo (Fp 2.5). Segundo, essas atitudes obstaculizam a causa de Cristo entre os descrentes. Se tudo que as pessoas conhecem sobre a igreja é que seus membros vivem constantemente murmurando e contendendo, eles terão uma impressão negativa de Cristo e do evangelho. Terceiro, provavelmente mais igrejas se dividiram, e ainda hoje se dividem, por causa de contendas do que por causa de heresias.[263]

Em segundo lugar, *a salvação é demonstrada por meio de uma conduta irrepreensível* (2.15a). O apóstolo Paulo detalha sobre a conduta irrepreensível, abordando três pontos:

Os crentes devem se tornar irrepreensíveis. A palavra grega usada por Paulo para "irrepreensíveis" é *amemptos* e expressa o que o cristão é no mundo. Sua vida é de tal pureza que ninguém encontra algo nele que se constitua uma falta. O cristão deve ser não apenas puro, mas viver uma pureza que seja vista por todos.[264] O cristão deve refletir o caráter de seu Pai, a ponto de viver de tal maneira que ninguém possa lhe apontar um dedo acusador (Mt 5.13,45,48).

Os crentes devem se tornar sinceros. A palavra grega para "sinceros" é *akeraios.* Ela expressa o que o cristão é em si mesmo. Essa palavra significa literalmente "sem mescla", "não-adulterado". Essa palavra era usada para referir-se ao vinho ou leite puros ou sem mistura de água.[265] Essa palavra era usada também no vocabulário da primitiva metalurgia para falar do ouro puro, do bronze puro ou qualquer metal sem impureza. Essa palavra era usada também para o barro puro utilizado na confecção de vasos.[266] Nos tempos antigos, alguns oleiros cobriam de cera as trincas dos vasos e enganavam os compradores. Quando esses vasos eram expostos à luz do sol, a cera derretia, e logo apareciam os defeitos. Então, os compradores passaram a exigir vasos sem cera. Daí foram cunhadas as palavras: sincero e sinceridade, ou seja, sem cera.

Jesus usou essa palavra quando disse que os Seus discípulos deveriam ser inocentes como as pombas (Mt 10.16), e Paulo a usou quando disse que devemos ser símplices para o mal (Rm 16.19). O apóstolo Paulo diz que devemos viver assim no meio de uma geração pervertida e corrupta (Fp 2.15). Devemos viver no mundo como Daniel viveu na Babilônia cheia de deuses pagãos e numa cultura pagã, sem se misturar e sem se contaminar.

Os crentes devem se tornar filhos de Deus inculpáveis no meio de uma geração pervertida. A palavra grega para "inculpáveis" é *amomos.* Ela descreve o que o cristão é na presença de Deus. O termo se vincula particularmente com os sacrifícios. Aplicado a um sacrifício significa "imaculado". A pureza do cristão deve ser tal que suporte o juízo de Deus. A vida do cristão deve ser tal que possa ser oferecida a Deus como um sacrifício sem mácula.[267]

É importante ressaltar que a vida cristã não é vivida em uma estufa espiritual, numa redoma de vidro, mas no meio de uma geração pervertida. Não é ser sal no saleiro nem luz debaixo do alqueire. Bruce Barton corretamente interpreta esse fato, quando escreve:

> Enquanto crentes, somos desarraigados deste mundo perverso (Gl 1.4). Porque na verdade nós não somos do mundo (Jo 17.16). Ao mesmo tempo, não somos removidos fisicamente do mundo (Jo 17.15). Estamos no mundo com a missão de no mundo anunciar as boas-novas do evangelho (Jo 17.18). Assim, também, a igreja de

Filipos precisava completar a sua missão no mundo, vivendo como filhos de Deus inculpáveis no meio de uma cultura depravada e pervertida.[268]

Em terceiro lugar, *a salvação é demonstrada por intermédio de um testemunho notável* (2.15b). Os crentes são exortados a brilhar como astros celestes neste mundo tenebroso (Mt 5.14-16). A palavra grega que Paulo usa para "luzeiros" é *phosteres*. Lightfoot diz que essa palavra é utilizada quase que exclusivamente para os astros celestes, exceto quando seu uso é metafórico, como neste texto.[269] Essa é a palavra usada na versão grega de Gênesis 1.14-19 para referir-se ao sol, à lua e às estrelas que o Criador espalhou pela abóbada celeste no quarto dia. Tais luminárias não brilham para si mesmas; brilham para prover luz ao mundo todo. O mesmo deveria ser verdade a respeito do crente: ele vive para os outros. A igreja tem sido chamada de clube que existe para o benefício dos que não são sócios.[270]

A vida da igreja no mundo é comparada à influência da luz num lugar escuro. Robertson diz que toda igreja é uma casa de luz em um lugar de trevas. Quanto mais escuro é um lugar, mais a luz é necessária.[271]

Bruce Barton diz que o nome dado à estrela mais brilhante da noite é *Sirius,* da constelação de "Canis Major", e o mais brilhante astro do dia é o sol. Paulo tira uma lição dos astros celestes quando compara os crentes com as estrelas e a sociedade com a escuridão do Universo. Na única outra passagem que esta palavra aparece no Novo Testamento, há a descrição da cidade santa, que reflete a glória de Deus como a luz de uma jóia (Ap 21.11).[272]

É digno de nota que Paulo não admoesta os cristãos a se isolarem do mundo nem a viverem em "quarentena espiritual". Os fariseus eram tão alienados e isolados da realidade que desenvolveram uma justiça própria artificial, inteiramente distinta da justiça que Deus desejava que cultivassem em sua vida. Em decorrência disso, sujeitaram o povo a uma religião de medo e de servidão e crucificaram Cristo, pois Ele ousou opor-se a esse tipo de religião.[273]

Em quarto lugar, *a salvação é demonstrada por meio de uma fidelidade inegociável* (2.16). O apóstolo Paulo enfatiza aqui dois pontos:

A necessidade de a igreja preservar a palavra da vida. A Palavra de Deus é singular. Ela não se assemelha aos demais livros. Ela é viva (Hb 4.12). Ela é a palavra da vida (Fp 2.16). Ela é espírito e vida (Jo 6.63). Ela é a palavra da vida porque proclama a verdadeira vida que se encontra em Cristo. A palavra grega usada para "preservar", *epechein*, foi usada na cultura secular para oferecer vinho a um hóspede. Os filipenses deveriam oferecer o evangelho ao mundo moribundo, pois somente o evangelho oferece vida abundante e eterna. A palavra da vida não é para ser retida, mas compartilhada.[274] O ensino de Paulo não é para a igreja se refugiar entre quatro paredes, isolando-se do mundo; ao contrário, o projeto de Deus é que a igreja brilhe como estrelas numa noite trevosa e leve ao mundo a palavra da vida.

A necessidade de a igreja trabalhar enquanto é tempo. Paulo deixa bem claro que ele enfrentará "o dia de Cristo" com muita confiança, desde que seus convertidos permaneçam firmes e vivam de modo que tragam crédito ao evangelho que lhes pregou.[275] Meu querido amigo e irmão, tem você investido na vida de outras pessoas? No dia de Cristo, você terá a alegria de apresentar a Deus os frutos do seu trabalho? Ou você comparecerá diante Dele de mãos vazias?

NOTAS DO CAPÍTULO 7

[228] BOYCE, James Montgomery. *Philippians: An expositional commentary*, 1971: p. 161.

[229] MARTIN, Ralph P. *Filipenses: Introdução e comentário*, 1985: p. 116.

[230] LIGHTFOOT, J. B. *St Paul's Epistle to the Philippians*, 1873: p. 113.

[231] BOYCE, James Montgomery. *Philippians: An expositional commentary*, 1971: p. 162.

[232] HENDRIKSEN, William. *Efésios e Filipenses*, 2005: p. 493.

[233] MOULE, H. C. G. *Studies in Philippians*, 1977: p. 72.

[234] BOYCE, James Montgomery. *Philippians: An expositional commentary*, 1971: p. 162.

[235] ROBERTSON, A. T. *Paul's joy in Christ: Studies in Philippians*, 1917: p. 147,148.

[236] MOULE, H. C. G. *Studies in Philippians*, 1977: p. 72.

[237] BRUCE, F. F. *Filipenses*, 1992: p. 90.

[238] HENDRIKSEN, William. *Efésios e Filipenses*, 2005: p. 493.

[239] WIERSBE, Warren W. *Comentário bíblico expositivo.* Vol. 2, 2006: p. 99.

[240] BRUCE, F. F. *Filipenses*, 1992: p. 90.

[241] BARCLAY, William. *Filipenses, Colosenses, I y II Tesalonicenses*, 1973: p. 49.

[242] BARCLAY, William. *Filipenses, Colosenses, I y II Tesalonicenses*, 1973: p. 51.

[243] BRUCE, F. F. *Filipenses*, 1992: p. 90,91.

[244] LIGHTFOOT, J. B. *St Paul's Epistle to the Philippians*, 1873: p. 114.

[245] ROBERTSON, A. T. *Paul's Joy in Christ: Studies in Philippians*, 1917: p. 145.

[246] MARTIN, Ralph P. *Filipenses: Introdução e comentário*, 1985: p. 117.

[247] BARCLAY, William. *Filipenses, Colosenses, I y II Tesalonicenses*, 1973: p. 50.

[248] BRUCE, F. F. *Filipenses*, 1992: p. 91.

[249] BARTON, Bruce B. et all. *Life application Bible commentary on Philippians*, 1995: p. 67.

[250] Boyce, James Montgomery. *Philippians: An expositional commentary*, 1971: p. 165.

[251] de Boor, Werner. *Carta aos Efésios, Filipenses e Colossenses*, 2006: p. 218.

[252] Barclay, William. *Filipenses, Colosenses, I y II Tesalonicenses*, 1973: p. 50.

[253] Barclay, William. *Filipenses, Colosenses, I y II Tesalonicenses*, 1973: p. 49.

[254] Hendriksen, William. *Efésios e Filipenses*, 2005: p. 495.

[255] Hendriksen, William. *Efésios e Filipenses*, 2005: p. 497.

[256] Martin, Ralph P. *Filipenses: Introdução e comentário*, 1985: p. 118.

[257] Motyer, J. A. *The message of Philippians*, 1991: p. 132.

[258] Lightfoot, J. A. *St Paul's Epistle to the Philippians*, 1873: p. 115.

[259] Barclay, William. *Filipenses, Colosenses, I y II Tesalonicenses*, 1973: p. 52.

[260] Boyce, James Montgomery. *Philippians: An expositional commentary*, 1971: p. 170.

[261] Barclay, William. *Filipenses, Colosenses, I y II Tesalonicenses*, 1973: p. 52.

[262] Martin, Ralph P. *Filipenses: Introdução e comentário*, 1985: p. 118.

[263] Barton, Bruce B. et all. *Life application Bible commentary on Philippians*, 1995: p. 68.

[264] Barclay, William. *Filipenses, Colosenses, I y II Tesalonicenses*, 1973: p. 52.

[265] Barclay, William. *Filipenses, Colosenses, I y II Tesalonicenses*, 1973: p. 52.

[266] Boyce, James Montgomery. *Philippians: An expositional commentary*, 1971: p. 171.

[267] Barclay, William. *Filipenses, Colosenses, I y II Tesalonicenses*, 1973: p. 52,53.

[268] Barton, Bruce B. et all. *Life application Bible commentary on Philippians*, 1995: p. 69.

[269] Lightfoot, J. B. *St Paul's Epistle to the Philippians*, 1873: p. 115.

[270] Bruce, F. F. *Filipenses*, 1992: p. 95.

[271] Robertson, A. T. *Paul's joy in Christ: Studies in Philippians*, 1917: p. 153.

[272] Martin, Ralph P. *Filipenses: Introdução e comentário*, 1985: p. 119.

[273] Wiersbe, Warren W. *Comentário bíblico expositivo*. Vol. 2, 2006: p. 100.

[274] Barton, Bruce B. et all. *Life application Bible commentary on Philippians*, 1995: p. 70.

[275] Bruce, F. F. *Filipenses*, 1992: p. 96.

Capítulo 8

Homens imitadores de Cristo

(Fp 2.17-30)

Jesus Cristo deve ter a supremacia em nossa vida (Fp 1.21). A grande ênfase do capítulo 1 de Filipenses é mostrar que Cristo ocupa o lugar mais alto da nossa vida. Ele tem a supremacia. Para mim, o viver é Cristo, diz o apóstolo Paulo (Fp 1.21). O capítulo 2 de Filipenses nos revela que o próprio Pai exaltou a Cristo sobremaneira e Lhe deu o nome que está acima de todo nome (Fp 2.9-11).

O *outro* deve ter a primazia em nossos relacionamentos (2.4,5,17,20,30). Se a ênfase do capítulo 1 de Filipenses é Cristo primeiro, a ênfase do capítulo 2 é o *outro* na frente do *eu.* Neste capítulo 2, Paulo dá quatro exemplos de abnegação e auto-sacrifício. Ele menciona o exemplo de Cristo (Fp 2.5-11), o seu próprio (Fp 2.17,18), o de Timóteo (Fp 2.19-24) e o de Epafrodito (Fp 2.25-30).

Já examinamos o exemplo de Cristo; agora, veremos os outros três exemplos.

Paulo, o prisioneiro de Cristo (2.17,18)

O apóstolo Paulo usa três exemplos de altruísmo. Ele começa consigo. Quando trata de si mesmo, usa apenas um versículo (Fp 2.17), mas quando fala de Timóteo e Epafrodito usa seis versículos para cada um. Destacamos três verdades a seu respeito:

Em primeiro lugar, *Paulo era um homem pronto a morrer pela causa do evangelho* (2.17). O apóstolo Paulo estava preso em Roma, sob algemas, com esperança de ser absolvido em seu julgamento por meio das orações da igreja (Fp 1.19; Fm 22). Paulo era um homem que nutria a sua alma de esperança (Fp 2.24). Ele se considerava prisioneiro de Cristo, e não de César. Não eram os homens maus que estavam no controle da sua vida, mas a providência divina. Ele não estava travando uma luta pessoal, mas estava pronto a morrer pelo evangelho.

Em segundo lugar, *Paulo era um homem pronto a dar sua vida como libação a favor de outros* (2.17). O apóstolo Paulo usa a figura da libação, um rito comum tanto no paganismo quanto na religião judaica (Nm 15.1-10), para expressar sua disposição de dar sua vida pelo evangelho e pela igreja (2Tm 4.6).

William Barclay diz que uma libação no paganismo consistia em derramar um cálice de vinho como oferenda aos deuses. Cada comida pagã começava e terminava com a dita libação como uma espécie de ação de graças.[276] No judaísmo, a libação era o derramamento de vinho ou azeite sobre a oferta do holocausto (Nm 15.5,7,10). A vida e o trabalho dos cristãos poderiam ser descritos como um sacrifício (Rm 12.1). A oferta dos filipenses a Paulo foi considerada como oferta agradável a Deus (Fp 4.18).

Paulo olhava para a vida em uma perspectiva espiritual. Ele não pensava numa libação dos cultos pagãos, mas na entrega fervorosa de sua vida a Deus.[277] Ele via a prática cristã dos crentes de Filipos como um sacrifício para Deus e via sua morte a favor do evangelho como uma oferta de libação sobre o sacrifício daqueles irmãos.

Nessa mesma trilha de pensamento, H. C. G. Moule diz que Paulo via os crentes de Filipos como um altar de sacrifício, onde a vida e o serviço deles eram como uma oferta a Deus; e sobre esse altar de sacrifício, ele via o seu sangue que seria em breve derramado como uma oferta de libação.[278]

Ralph Martin diz que "sacrifício" e "serviço" é combinação de duas palavras, uma das quais é *leitougia.* Os dois termos formam uma única idéia. *Leitourgia* é uma palavra de culto, associada a *thysia* (sacrifício), e juntas referem-se a um culto sacrificial, realizado pela fé dos filipenses, ao sustentar ativamente o apóstolo, mesmo sendo pobres (2Co 8.2). As dádivas deles eram como oferta fragrante a Deus (Fp 4.18).[279]

Em terceiro lugar, *Paulo era um homem pronto a dar sua vida por outros não por constrangimento, mas com grande alegria* (2.17,18). O apóstolo Paulo demonstra uma alegria imensa mesmo estando na ante-sala da morte e no corredor do martírio. Suas palavras não são de revolta nem de lamento. Ele foi perseguido, apedrejado, preso e açoitado com varas. Ele enfrentou frio, fome e passou privações. Ele enfrentou inimigos de fora e perseguidores de dentro. Ele, agora, está em Roma, sendo acusado pelos judeus diante de César, aguardando uma sentença que pode levá-lo à morte; mas, a despeito dessa situação, sua alma está em festa, e seu coração está exultante de alegria.

Paulo está usando a figura da libação para mostrar que a morte dele completaria o sacrifício dos filipenses. O martírio coroaria sua vida e seu apostolado. Contudo, Paulo deseja que esse sacrifício seja colocado como crédito aos filipenses, e não a seu próprio favor. Sendo assim, não haveria motivo para lágrimas.

Essa perspectiva levou Paulo a dizer: "... alegro-me e, com todos vós, me congratulo. Assim, vós também, pela mesma razão, alegrai-vos e congratulai-vos comigo" (Fp 2.17,18).[280] Nessa mesma linha de pensamento, William Hendriksen escreve:

> O derramamento do sangue de Paulo é motivo de alegria para ele, sempre que seja considerado como uma libação que coroará a oferenda sacrificial apresentada pelos filipenses.[281]

Paulo está dizendo à igreja que, sendo ele absolvido (Fp 1.25) ou morrendo (Fp 2.17), ela deveria alegrar-se. Plutarco usa essa mesma expressão utilizada por Paulo para falar do mensageiro da batalha de Maratona que, depois de uma longa corrida chegou a Atenas e deu a notícia da vitória do seu povo na batalha: "Alegrai-vos e congratulai-vos comigo". E caiu morto.[282]

Timóteo, o filho fiel (2.19-24)

Há seis verdades preciosas, listadas neste texto, que vamos considerar acerca de Timóteo.

Em primeiro lugar, *Timóteo, o enviado de Paulo* (2.19,23). Quem era esse mensageiro de Paulo chamado Timóteo?

Sua mãe e sua avó eram crentes (2Tm 1.5), e seu pai grego (At 16.1). Ele conhecia a Palavra de Deus desde a infância (2Tm 3.15). Converteu-se na primeira viagem missionária de Paulo e cresceu espiritualmente, pois passou a ter bom testemunho em sua cidade antes de unir-se ao apóstolo em sua segunda viagem missionária (At 16.1,2). Timóteo era filho de Paulo na fé (1Tm 1.2), cooperador de Paulo (Rm 16.21), e mensageiro de Paulo às igrejas (1Ts 3.6; 1Co 4.17; 16.10,11; Fp 2.19). Ele esteve preso com Paulo em Roma (Fp 1.1; Hb 13.23). Era jovem (1Tm 4.12), tímido (2Tm 1.7,8) e doente (1Tm 5.23). Ele tinha um caráter provado (Fp 2.22) e cuidava dos interesses de Cristo (Fp 2.21) e dos interesses da Igreja de Cristo (Fp 2.20).

É ainda digno de nota que Timóteo esteve presente quando a igreja de Filipos foi estabelecida (At 16.11-40; 1Ts 2.2) e, ainda, subseqüentemente também os visitou, mais de uma vez (At 19.21,22; 20.3-6; 1Co 1.1). Portanto, ele era a pessoa indicada para ser enviada novamente à igreja de Filipos.[283]

Longe de proceder de forma egoística, procurando manter perto de si o maior contingente possível de amigos, Paulo enviou Tíquico a Éfeso, Crescente à Galácia e Tito à Dalmácia (2Tm 4.10-12). Werner de Boor diz que é maravilhoso saber que Paulo pretende, agora, enviar Timóteo a Filipos, o melhor colaborar de que dispõe.[284]

Em segundo lugar, *Timóteo, um homem singular* (2.20a). Havia muitos cooperadores de Paulo, mas Timóteo ocupava um lugar especial no coração do veterano apóstolo. Ele era um homem singular pela sua obediência e submissão a Cristo e ao apóstolo como um filho a um pai. A palavra grega que Paulo usa para "igual sentimento" só aparece aqui em todo o Novo Testamento.[285] É a palavra *isopsychos,* que significa "da mesma alma". Esse termo foi usado no Antigo Testamento como "meu igual" e "meu íntimo amigo" (LXX Sl 55.13). F. F. Bruce, citando Erasmo, diz que ele parafraseia esta passagem assim: "Eu o enviarei como o meu *alter ego*".[286]

Em terceiro lugar, *Timóteo, um homem que cuida dos interesses dos outros* (2.20b). Timóteo aprendeu o princípio ensinado por Paulo de buscar os interesses dos outros (2.4), princípio esse exemplificado por Cristo (2.5) e pelo próprio apóstolo (2.17).

Timóteo, de igual modo, vive de forma altruísta, pois o centro da sua atenção não está em si mesmo, mas na Igreja de Deus. Ele não busca riqueza, nem promoção pessoal. Ele não está no ministério em busca de vantagens; ele tem um alvo: cuidar dos interesses da Igreja.

É uma pena que os cristãos de Roma estivessem tão envolvidos com os próprios problemas e desavenças (1.15,16) a ponto de não ter tempo para a obra importante do Senhor. Warren Wiersbe diz que essa é uma das grandes tragédias causadas pelos problemas internos das igrejas; eles consomem tempo, energia e preocupação que deveriam estar sendo dedicados a coisas mais essenciais.[287]

Jacó, depois de converter-se, passou a ter uma grande sensibilidade para lidar com os outros (Gn 33.13,14). Timóteo era assim também. Meu querido amigo, você se preocupa com o povo de Deus? Você trata as pessoas de forma gentil? Você conduz sua família, seus filhos, sua classe de Escola Dominical, seus irmãos em Cristo de forma gentil? Concordo com Robertson, quando afirma: "O melhor caminho para ser feliz é fazer os outros felizes".[288]

Em quarto lugar, *Timóteo, um homem que cuida dos interesses de Cristo* (2.21). Só existem dois estilos de vida:

daqueles que vivem para si mesmos (2.21) e daqueles que vivem para Cristo (1.21). Estamos em Filipenses 1.21 ou, então, estaremos em Filipenses 2.21. Timóteo queria cuidar dos interesses de Cristo, e não dos seus próprios. Sua vida estava centrada em Cristo (2.21) e nos irmãos (2.20b), e não no seu próprio eu (2.21).

Corretamente Werner de Boor afirma:

> Quem busca o que é seu, sua própria fama, seu próprio conforto, esquiva-se do esforço e da dor de ir a fundo nas questões em uma igreja e solucionar as mazelas com mão paciente, afetuosa, e por isso também firme.[289]

James Montgomery Boyce diz que é fácil colocarmos outras coisas primeiro em nossa vida. Você pode colocar sua própria reputação em primeiro lugar. Pode colocar seus prazeres em primeiro lugar. Pode colocar em primeiro lugar seus planos, sua família, seu sucesso ou outra coisa. No entanto, se você fizer isso, todas essas coisas ficarão distorcidas, e você perderá a maior de todas as bênçãos da sua vida. Porque Timóteo colocou Cristo em primeiro lugar, as outras coisas se estabeleceram naturalmente.[290]

Havia muitos que colocavam seus interesses acima e antes dos interesses alheios, ou estavam muito preocupados, buscando mais "o que é seu, e não o que é de Cristo Jesus". Embora alguns em Roma pregassem o evangelho "por amor" (1.16), de todos quantos estavam disponíveis perante Paulo, nenhum era tão destituído de egoísmo quanto Timóteo. Para Timóteo, como para Paulo, a causa de Cristo Jesus envolvia o bem-estar de seu povo.[291]

Em quinto lugar, *Timóteo, um homem de caráter provado* (2.22). Timóteo desfrutava de um bom testemunho antes de ser missionário (At 16.1,2), e agora, quando Paulo está para lhe passar o bastão, como continuador da sua obra, dá testemunho de que ele continua tendo um caráter provado (2.22). É lamentável que muitos líderes religiosos que são grandes em fama e riqueza sejam anões no caráter. Vivemos uma crise avassaladora de integridade no meio evangélico brasileiro. Precisamos urgentemente de homens íntegros, provados, que sejam modelo do rebanho.

Em sexto lugar, *Timóteo, um homem disposto a servir* (2.22b). É digno de nota que Timóteo serviu ao evangelho. Ele serviu com Paulo, e não a Paulo. Embora a relação entre Paulo e Timóteo fosse de pai e filho, ambos estavam engajados no mesmo projeto. Hoje, muitos líderes se colocam acima de seus colaboradores. A relação não é de parceria no trabalho, mas de subserviência pessoal.

Epafrodito, o companheiro de milícia (2.25-30)

Paulo, o administrador solícito da obra missionária, agora se volta de Timóteo para Epafrodito. Este valoroso obreiro só é citado na Carta aos Filipenses neste parágrafo e em Filipenses 4.18, mas é o suficiente para compreendermos seu profundo amor por Jesus e pela Igreja.

Paulo era um "hebreu de hebreus"; Timóteo era em parte judeu e em parte gentio (At 16.1). E, tanto quanto sabemos, Epafrodito era inteiramente gentio. Todavia, todos eles tinham a mesma característica: estavam dispostos a viver para Cristo e dar a sua vida pelos irmãos.[292] O nome *Epafrodito* significa "encantador", "amável". Sua vida refletia o seu nome. Destacamos seis marcas desse precioso homem:

Em primeiro lugar, *Epafrodito, um homem pronto a servir, mesmo correndo grandes riscos* (2.25,30). Epafrodito foi o portador da oferta da igreja de Filipos a Paulo e o portador da carta de Paulo à igreja de Filipos. Ele viajou de Filipos a Roma para levar uma oferta da igreja ao apóstolo (2.30; 4.18) e também para assistir o apóstolo na prisão (2.25). Paulo o chama de irmão, cooperador e companheiro de lutas. Como diz Lightfoot, Epafrodito era um com Paulo em afeto, em atividade e em perigo.[293] Isso mostra que Epafrodito era um homem equilibrado. Warren Wiersbe apropriadamente comenta:

> O equilíbrio é importante para a vida cristã. Alguns enfatizam tanto a "comunhão" que esquecem do progresso do evangelho. Outros se envolvem de tal modo com a defesa da "fé evangélica" que não desenvolvem a comunhão com outros cristãos. Epafrodito não caiu nessas armadilhas. Era como Neemias, o homem que reconstruiu os muros de Jerusalém segurando a pá em uma das suas mãos e a espada na outra (Ne 4.17). Não podemos construir com uma espada nem combater com uma pá! Precisamos desses dois instrumentos para realizar a obra do Senhor.[294]

Vejamos a descrição que Paulo faz de Epafrodito:

Ele era um irmão (2.25). Se nós estamos em Cristo, há um elo de amor fraternal que nos une uns aos outros. Essa é uma palavra que destaca a relação de família.

Ele era um cooperador (2.25). Epafrodito era um trabalhador na obra de Cristo e um ajudador de Paulo. A palavra grega usada por Paulo é *synergos*, denotando que Paulo e Epafrodito estão no mesmo serviço do Reino de Deus.[295]

Ele era um companheiro de milícia (2.25). A vida cristã não é um parque de diversões, uma colônia de férias, mas um campo de guerra. Epafrodito estava no meio desse campo de lutas com o apóstolo Paulo. O pano de fundo é o de uma metáfora geral, em que ambos são "companheiros no conflito", na guerra contra o mal.[296] Epafrodito é um companheiro de milícia, um companheiro de armas. William Hendriksen diz que um obreiro deve ser também um guerreiro, porque na obra do evangelho terá de combater contra muitos inimigos: mestres judaizantes, gregos e romanos escarnecedores, adoradores do imperador, sensualistas, governadores deste mundo tenebroso etc.[297]

Em segundo lugar, *Epafrodito, um homem pronto a servir à Igreja de Cristo* (2.25b). Paulo descreve Epafrodito de duas maneiras em relação ao seu serviço à igreja:

Ele é um mensageiro da igreja (2.25b). A palavra grega que Paulo usa é *apóstolos*. Aqui a palavra "apóstolo" tem o sentido "daquele que é enviado com um recado".[298] A missão de Epafrodito não foi apenas a de trazer a Paulo o donativo da igreja filipense, mas também a de servir a Paulo de qualquer forma que fosse requerida. Portanto, Epafrodito fora enviado tanto para *levar* uma oferta quanto para *ser* uma oferta dos filipenses a Paulo.[299]

Ele é um auxiliar da igreja para ajudar Paulo (2.25b). A palavra grega usada por Paulo é *leitourgos,* de onde vem a nossa palavra "liturgia", que significa serviço ou culto sagrado.[300] Lightfoot diz que essa palavra tem uma vasta história: 1) Era um serviço civil. 2) Depois passou a significar qualquer tipo de função ou ofício. 3) Em seguida, recebeu o significado de uma ministração sacerdotal, especialmente entre os judeus. 4) Também significou os serviços eucarísticos. 5) Finalmente, passou a significar as formas da divina adoração.[301] A idéia, portanto, do apóstolo é que o crente é um sacerdote que ministra um culto a Deus enquanto atende às necessidades dos outros. Epafrodito fazia do seu serviço prestado à igreja uma liturgia e um culto a Deus.

William Barclay ainda traz mais luz para o entendimento dessa palavra. No grego secular, *leitourgia* era uma palavra nobre. Nos dias da Grécia antiga, muitos amavam tanto a sua cidade que com seus próprios recursos e a suas próprias expensas se responsabilizavam por certos deveres cívicos importantes. Podia tratar-se de bancar os gastos de uma embaixada, ou o custo da representação de um importante drama de algum dos famosos poetas, ou o entretenimento dos atletas que representariam a cidade nos jogos, ou o equipamento de um barco de guerra e os gastos de uma tripulação a serviço do Estado. Eram sempre dons generosos para o Estado. Esses homens eram conhecidos como *leitourgoi*. Esta é a palavra que Paulo adota e aplica a Epafrodito.[302]

Bruce Barton afirma que Epafrodito tinha vindo a Roma não apenas para trazer recursos financeiros para Paulo, mas também para ministrar às necessidades espirituais de Paulo sem prazo determinado para voltar. Igual a Timóteo, esse homem colocou as necessidades dos outros acima de suas próprias (2.4; 2.20).[303]

Em terceiro lugar, *Epafrodito, um homem sem imunidades especiais* (2.26,27). Destacamos aqui três coisas:

Epafrodito, mesmo fazendo a obra de Deus, ficou doente (2.26). Paulo Lockmann diz que aqui é introduzido um tema em geral muito mal trabalhado na igreja: a enfermidade. Uns dizem que crente não fica doente, outros dizem que não existem mais curas vindas de Deus milagrosamente, e outros afirmam que toda doença é do diabo. Todas essas posições são biblicamente erradas.[304]

Em Roma, Epafrodito caiu enfermo, possivelmente vítima da conhecida febre romana que às vezes varria a cidade como uma epidemia e um açoite. A enfermidade o havia levado às portas da morte.[305] Não estamos livres como cristãos das intempéries naturais da vida. Paulo não disse que ele ficou doente porque isso foi um ataque de Satanás nem que ele ficou doente porque tinha uma fé trôpega, nem ainda porque estava em pecado. Aqueles que pregam que um crente não pode ficar doente e que toda doença é obra maligna estão equivocados.

Epafrodito, mesmo fazendo a obra de Deus, adoeceu mortalmente (2.27). Ele não apenas adoeceu, mas adoeceu para morrer. Sua enfermidade foi algo grave. Os crentes não são poupados de enfrentar as mesmas dores, as mesmas tristezas e as mesmas enfermidades. Paulo não considera a doença grave de um irmão como uma falha na vida de fé, diz Werner de Boor.[306] Nessa mesma linha de pensamento, James Montgomery Boyce diz:

> Algumas pessoas têm ensinado que a saúde é um direito inalienável do cristão e que a doença é resultado do pecado ou da falta de uma fé robusta. Outros, como os falsos consoladores de Jó, dizem que a doença é sempre um sinal do castigo e da disciplina de Deus. Esses pensamentos não são verdadeiros, e o caso de Epafrodito os refuta. Epafrodito era um homem que devia receber as maiores honras na igreja (2.29). No entanto, ele caiu enfermo no meio do trabalho abnegado do serviço cristão. Ainda mais, ele ficou doente por um longo período. Filipos ficava a 1.080 quilômetros de Roma. Naquele tempo, gastava-se pelo menos seis semanas para se viajar de Roma a Filipos. Ele ficou doente o tempo suficiente para que os crentes de Filipos soubessem disso e a notícia de volta acerca da tristeza da igreja chegasse a ele em Roma. Assim, ele esteve doente pelo menos por uns três meses. E mais: ele estava na companhia de Paulo, porém o apóstolo não tinha indicações do Senhor para curá-lo.[307]

Epafrodito, mesmo sendo um servo de Deus, sofreu profunda angústia (2.26). Paulo descreve a angústia de Epafrodito usando a mesma palavra que os evangelistas utilizaram para a angústia de Cristo no Getsêmani (Mt 26.36). Essa palavra no grego, *ademonein,* denota uma grande angústia mental e espiritual (Mc 14.33), a angústia que se segue a um grande choque.[308] A saudade dos irmãos, a apreensão acerca da sua condição e a impossibilidade de cumprir plenamente o seu trabalho em relação ao apóstolo Paulo afligiram-lhe a alma sobremaneira.

Em quarto lugar, *Epafrodito, um homem curado pela intervenção de Deus* (2.27). A cura de Epafrodito foi um ato da misericórdia de Deus. Não há aqui qualquer palavra de Paulo acerca da cura pela fé. Simplesmente o apóstolo afirma que Deus teve misericórdia dele e de Epafrodito. Em última instância, toda cura é divina (Sl 103.3). Deus cura por intermédio dos meios, sem os meios e apesar dos meios. Deus curou Epafrodito por amor a ele, a Paulo e à igreja de Filipos (2.27,28). Deus ainda tem todo o poder de curar. Ele, ainda, tira muitos das portas da morte. Contudo, precisamos nos acautelar acerca dos embusteiros que enganam os incautos com falsos milagres e se enriquecem com promessas vazias.

Em quinto lugar, *Epafrodito, um homem que merece ser honrado pela igreja* (2.29). Paulo estava preocupado que algumas pessoas pudessem criticar Epafrodito pela sua volta prematura à igreja sem cumprir plenamente seu papel em relação à assistência a Paulo na prisão. O apóstolo, então, com seu senso pastoral, antecipa a situação e instrui a igreja a receber esse valoroso irmão com alegria e com honra.

Não há nada de errado em um servo receber honra. Aliás, esse é um princípio bíblico que precisamos obedecer. Escrevendo aos crentes de Tessalônica, Paulo diz: "Agora, vos rogamos, irmãos, que acateis com apreço os que trabalham entre vós e os que vos presidem no Senhor e vos admoestam; e que os tenhais com amor em máxima consideração, por causa do trabalho que realizam. Vivei em paz uns com os outros" (1Ts 5.12,13).

O mundo honra aqueles que são inteligentes, belos, ricos e poderosos. Que tipo de pessoa a igreja deve honrar? Epafrodito foi chamado de irmão, cooperador, companheiro de lutas, mensageiro e auxiliar. Esses são os emblemas da honra. Paulo nos encoraja a honrar aqueles que arriscam a própria vida por amor de Cristo e o cuidado dos outros, indo onde não podemos ir por nós mesmos.[309]

Em sexto lugar, *Epafrodito, um homem que se dispôs a dar sua vida pela obra de Cristo* (2.30). A viagem de Filipos a Roma era uma longa e árdua jornada de mais de mil quilômetros. Associar-se a um homem acusado, preso e na iminência de ser condenado também constituía um risco sério. Entretanto, Epafrodito se dispôs a enfrentar todas essas dificuldades pela obra de Cristo a favor da assistência material e espiritual a Paulo na prisão.

A palavra grega que Paulo usa neste versículo 30 para: "... dispôs-se a dar a própria vida..." é *paraboleuesthai.* Essa palavra se aplica ao jogador que aposta tudo em uma jogada de dados. William Barclay diz que o que Paulo está dizendo é que Epafrodito jogou sua própria vida pela causa de Jesus Cristo arriscando-a temerariamente.[310]

O mesmo escritor ainda ilustra:

> Nos dias da Igreja primitiva, existia uma associação de homens e mulheres chamados *parabolani*: os jogadores. Tinham como propósito e objetivo visitar os prisioneiros e enfermos, particularmente os que estavam prostrados por uma enfermidade perigosa e infecciosa. Em 252 d.C., explodiu uma peste em Cartago; os pagãos lançavam os corpos de seus mortos nas ruas e fugiam aterrorizados. O bispo

> cristão Cipriano reuniu seus fiéis em uma assembléia e os encorajou a enterrar os mortos e cuidar dos enfermos na cidade açoitada pela praga. Agindo dessa maneira, arriscando a própria vida, eles salvaram a cidade da destruição e da desolação. A igreja sempre necessita dos *parabolani*: os que entregam sua vida para o serviço de Cristo e dos outros.[311]

Paulo, assim, apresentou três exemplos da mesma atitude de auto-renúncia, o mesmo "... sentimento que houve em Cristo Jesus" (2.5). Ele escreveu sobre sua própria prontidão para sofrer o martírio (2.17). Ele menciona o trabalho altruísta de Timóteo a favor de Cristo e da Igreja (2.18-23) e, finalmente, ele fala sobre a devoção de Epafrodito à missão que lhe fora confiada de ir a Roma para levar-lhe uma oferta da igreja e assisti-lo em sua prisão (2.30).[312]

O julgamento de Paulo se aproximava. Alguns já o haviam abandonado. Estavam ainda com ele Timóteo e Epafrodito. O que ele está pensando fazer? O que Paulo está pensando acerca dos dias sombrios que precederão a sua execução? Sobre si mesmo? Sobre seu futuro? Não! Ele está pensando nas necessidades de seus irmãos e está pronto a sacrificar seus próprios interesses para enviar a eles seus dois grandes colaboradores. Paulo era um imitador de Cristo. E Cristo deixou a glória para vir ao mundo morrer em nosso lugar. Cristo viveu para os outros, deu a Sua vida pelos outros (Jo 3.16) e nos ensinou a fazer o mesmo (1Jo 3.16), como o fizeram Paulo, Timóteo e Epafrodito.[313]

Notas do capítulo 8

[276] Barclay, William. *Filipenses, Colosenses, I y II Tesalonicenses*, 1973: p. 55.

[277] Bruce, F. F. *Filipenses*, 1992: p. 98.

[278] Moule, H. C. G. *Studies in Philippians*, 1977: p. 76.

[279] Martin, Ralph P. *Filipenses: Introdução e comentário*, 1985: p. 121.

[280] Bruce, F. F. *Filipenses*, 1992: p. 99.

[281] Hendriksen, William. *Efésios e Filipenses*, 2005: p. 500.

[282] Robertson, A. T. *Paul's joy in Christ: Studies in Phillipians*, 1917: p. 157.

[283] Hendriksen, William. *Efésios e Filipenses*, 2005: p. 508.

[284] de Boor, Werner. *Carta aos Efésios, Filipenses e Colossenses*, 2006: p. 225.

[285] Motyer, J. A. *The message of Philippians*, 1991: p. 139.

[286] Bruce, F. F. *Filipenses*, 1992: p.103

[287] Wiersbe, Warren W. *Comentário bíblico expositivo*. Vol. 6, 2006: p. 105.

[288] Robertson, A. T. *Paul's joy in Christ: Studies in Philippians*, 1917: p. 170.

[289] de Boor, Werner. *Carta aos Efésios, Filipenses e Colossenses*, 2006: p. 226.

[290] Boyce, James Montgomery. *Philippians: An expositional commentary*, 1971: p. 178.

[291] Bruce, F. F. *Filipenses*, 1992: p. 101.

[292] Wiersbe, Warren W. *Comentário bíblico expositivo*. Vol. 6, 2006: p. 106.

[293] Lightfoot, J. B. *St Paul's Epistle to the Philippians*, 1873: p. 121.

[294] Wiersbe, Warren W. *Comentário bíblico expositivo*. Vol. 6, 2006: p. 106.

[295] Martin, Ralph P. *Filipenses: Introdução e comentário*, 1985: p. 133.

[296] Martin, Ralph P. *Filipenses: Introdução e Comentário*, 1985: p.134

[297] Hendriksen, William. *Efésios e Filipenses*, 2005: p. 513.

[298] Barclay, William. *Filipenses, Colosenses, I y II Tesalonicenses*, 1973: p. 58.

[299] HENDRIKSEN, William. *Efésios e Filipenses*, 2005: p. 514.

[300] BRUCE, F. F. *Filipenses*, 1992: p. 99.

[301] LIGHTFOOT, J. B. *St Paul's Epistle to the Philippians*, 1873: p. 117.

[302] BARCLAY, William. *Filipenses, Colosenses, I y II Tesalonicenses*, 1973: p. 58.

[303] BARTON, Bruce B. et all. *Life application Bible commentary on Philippians*, 1995: p. 76.

[304] LOCKMANN, Paulo. *Filipenses*, 1995: p. 69,70.

[305] BARCLAY, William. *Filipenses, Colosenses, I y II Tesalonicenses*, 1973: p. 57.

[306] DE BOOR, Werner. *Carta aos Efésios, Filipenses e Colossenses*, 2006: p. 228.

[307] BOYCE, James Montgomery. *Philippians: An expositional commentary*, 1971: p. 184.

[308] MARTIN, Ralph P. *Filipenses: Introdução e comentário*, 1985: p. 135.

[309] BARTON, Bruce B. et all. *Life application Bible commentary on Philippians*, 1995: p. 79.

[310] BARCLAY, William. *Filipenses, Colosenses, I y II Tesalonicenses*, 1973: p. 59.

[311] BARCLAY, William. *Filipenses, Colosenses, I y II Tesalonicenses*, 1973: p. 59.

[312] BRUCE, F. F. *Filipenses*, 1992: p. 107.

[313] BOYCE, James Montgomery. *Philippians: An expository commentary*, 1971: p. 185.

Capítulo 9

A verdade de Deus sob ataque

(Fp 3.1-11)

No capítulo 1 de Filipenses, Paulo mostrou a supremacia de Cristo (1.21). No capítulo 2, ele mostrou a primazia do *outro* (2.4). Agora, no capítulo 3, Paulo volta a sua atenção para a questão da verdade que estava sendo atacada pelos falsos mestres.

Mais do que nunca, este texto é atual, oportuno e urgente. Também em nossos dias, a verdade de Deus tem sido atacada. Esses ataques não vêm apenas dos insolentes críticos da fé cristã, mas daqueles que se infiltram na igreja, com falsa piedade e perigosas heresias. Estamos vendo, com profunda dor, a igreja evangélica brasileira deixando o antigo evangelho, o evangelho da cruz, para abraçar um evangelho híbrido, sincrético e místico. Um evangelho centrado no homem, e não na consumada e bendita obra de Cristo. Precisamos também nos acautelar!

Destacamos dois pontos nesta introdução:

Em primeiro lugar, *a alegria cristã é centrada em Cristo* (3.1). J. A. Motyer diz que a ordem de Paulo dada em Filipenses 3.1, "... alegrai-vos no Senhor", age como uma ponte entre o que ele ensinou e o que ele está para ensinar. Jesus foi glorificado como Deus, Salvador, Exemplo e Senhor. Portanto, devemos nos regozijar Nele. Ele deve ser nosso prazer, nossa mais preciosa possessão e nossa mais intensa ambição.[314]

Assim, depois de falar sobre relacionamentos no capítulo 2, e antes de introduzir o novo assunto, Paulo reafirma para a igreja o tema básico dessa carta, a alegria. A alegria cristã não é ausência de problemas nem circunstâncias favoráveis. A alegria cristã está centrada não em coisas ou situações, mas na Pessoa de Cristo. Ele é a nossa alegria. Nossa alegria é cristocêntrica!

Bruce Barton diz que essa verdadeira alegria nos capacita a vencer as ondas revoltas das circunstâncias adversas, porque essa alegria vem de um consistente relacionamento com o Senhor Jesus.[315]

Em segundo lugar, *a repetição é um poderoso recurso pedagógico* (3.1). Paulo não está trazendo ensino novo, mas reafirmando as mesmas verdades. E ele diz que isso não lhe desagrada, pois sabe da necessidade de a igreja ouvir sempre as verdades fundamentais do evangelho. Sabe, também, que isso produz segurança para a igreja. Não devemos correr atrás de novidades, mas nos firmar cada vez mais no antigo evangelho. A verdade deve ser o nosso pão diário.

William Barclay corretamente diz que os alimentos essenciais não nos cansam; esperamos comer pão e beber água cada dia da nossa vida. Por isso, também devemos escutar sempre de novo a verdade que é pão e água para a vida. Que nenhum mestre se inquiete por voltar renovadamente às grandes verdades básicas da fé cristã.[316]

Os falsos mestres desmascarados (3.2)

Destacamos aqui dois pontos:

Em primeiro lugar, *a necessidade de cautela acerca dos falsos mestres* (3.2). Por três vezes, o apóstolo Paulo repetiu o verbo grego *blepete:* "Acautelai-vos". Essa palavra é extremamente forte e sua repetição carrega uma forte, ênfase. Ele quer que a igreja mantenha seus olhos abertos e seja vigilante para que esses lobos não entrem no meio do rebanho (At 20.29,30). A heresia tem muitas faces, mas seu veneno é sempre mortal.

Em segundo lugar, *a necessidade de identificar os falsos mestres* (3.2). O apóstolo Paulo descreve esses falsos mestres, dando-lhes três adjetivos (cães, falsos obreiros e falsa circuncisão), mas é muito provável que ele esteja falando do mesmo grupo com nuanças diferentes. William Hendriksen chega mesmo a ser categórico: "Paulo tem em mente uma *única* espécie de inimigo, e não três tipos diferentes. Ele se refere apenas a um *único* inimigo: a mutilação em contraste com a circuncisão".[317]

F. F. Bruce diz que as pessoas contra quem os gentios cristãos deveriam permanecer em guarda, e a quem Paulo denuncia em outras passagens, usando o mesmo tipo de palavreado contundente empregado aqui, são as que visitavam as igrejas gentias e insistiam em que a circuncisão era condição essencial e indispensável para serem justificadas perante Deus.[318]

Esses mestres judaizantes queriam inserir na mensagem do evangelho a obrigatoriedade da circuncisão como condição indispensável para a salvação (At 15.1). Assim, a salvação deixava de ser pela fé somente e passava a depender do esforço humano. Os judaizantes atacavam pela base a doutrina da salvação unicamente pela graça e tratavam de substituí-la por um misto de favor divino e mérito humano, com ênfase sobre este último.[319] Paulo, mesmo sob algemas, não cala sua voz. Ele denuncia e desmascara esses mestres com veemência como já fizera outras vezes (Gl 1.6-9; 3.1; 5.1-12; 6.12-15; 2Co 11.13).

Que descrição Paulo faz desses falsos mestres?

Os falsos mestres são cães. Ralph Martin diz que os cães eram considerados animais imundos na sociedade oriental.[320] Werner de Boor ainda diz que no antigo Oriente o cão não era o companheiro fiel e amado do ser humano, mas um animal semi-selvagem que vagueava em matilhas, caçando a presa aos latidos. É assim que Paulo vê seus adversários metendo o nariz e latindo suas heresias em todas as regiões.[321]

Cães ainda é o termo que os judeus usavam em relação aos gentios. Eles os consideravam indignos e abomináveis. Eles viam os gentios apenas como combustíveis do fogo do inferno. Agora, porém, Paulo inverte os papéis e se refere aos falsos mestres como cães, ou seja, aqueles que viviam perambulando ao redor das igrejas gentias, tentando "abocanhar" prosélitos, ganhar novos adeptos para seu modo de pensar e viver (Mt 23.15).[322]

No tempo de Paulo, esses mestres judaizantes eram como cães, como os animais imundos que vagavam pelas ruas latindo e rosnando a todos que encontravam, revirando o lixo e atacando os transeuntes.[323] Paulo usa essa metáfora para se referir a esses falsos mestres como insolentes, astuciosos e vadios que procuravam se infiltrar nas congregações cristãs para espreitarem a liberdade dos novos crentes (Gl 2.3-8). Warren Wiersbe diz ainda que esses judaizantes mordiam os calcanhares de Paulo e o seguiam de um lugar para outro ladrando suas falsas doutrinas. Eram agitadores e infectavam as vítimas com idéias perigosas.[324]

Os falsos mestres são maus obreiros. Eles são obreiros da iniqüidade (Lc 13.27) e obreiros fraudulentos (1Co 11.13). Ralph Martin os chama de emissários gnósticos judeus cristãos, armados com um objetivo propagandístico de arrebanhar os convertidos por intermédio do ministério de Paulo, induzindo-os a crer na necessidade da circuncisão.[325]

William Hendriksen diz que eles eram maus obreiros, pois, em vez de cooperarem para a boa causa, a prejudicavam. Desviavam a atenção de Cristo e de Sua redenção perfeita e a fixavam em rituais ultrapassados e em obras humanas.[326] Eles trabalhavam contra Deus e para desfazerem a obra de Deus. Laboravam para o erro e para desviarem as pessoas da verdade. Para esses mestres judaizantes, agir com justiça era observar a Lei e segui-la em seus múltiplos detalhes e cumprir suas inumeráveis regras e prescrições. Mas Paulo estava seguro de que a única classe de justiça que agrada a Deus consiste em render-se livremente à Sua graça.[327]

Os falsos mestres são defensores da falsa circuncisão. A palavra grega para circuncisão é *peritome,* mas Paulo se recusou a usá-la aqui; em vez disso, usou a palavra grega *katatome,* utilizada para descrever a mutilação da carne nos ritos pagãos. Muito embora não houvesse nada de errado com a circuncisão em si, Paulo sustentou que era errado ensinar que a circuncisão era uma condição indispensável para a salvação. Nesse sentido, a circuncisão se tornara um rito vazio e sem sentido.[328]

Os mestres judaizantes trocaram a graça de Deus por um rito físico. Eles se vangloriam de uma incisão na carne, em vez de uma mudança no coração. Eles cortavam o prepúcio do órgão sexual masculino, porém não cortavam o prepúcio do coração. Paulo escarnece dessa falsa confiança deles no rito da circuncisão, em vez de confiarem na graça de Deus.

William Barclay diz que esses dois verbos gregos, embora muito semelhantes, *peritemnein,* que significa "circuncidar", e *katatemnein,* que significa "mutilar", descrevem duas coisas bem diferentes. Enquanto o primeiro verbo descreve o sinal sagrado e o resultado da circuncisão, último, *katatemnein,* usado por Paulo para descrever os falsos mestres, descreve a mutilação própria que se proibia, como a castração e coisas semelhantes (Lv 21.5). Assim, Paulo a para esses arrogantes hereges que eles não estavam circuncidados, mas apenas mutilados (Gl 5.12). Se tudo o que eles tinham para mostrar era a circuncisão da carne, uma marca física, então, realmente, não estavam circuncidados, mas apenas mutilados. Porque a circuncisão real é a consagração a Deus do coração, da mente, do pensamento e da vida.[329]

A circuncisão foi instituída por Deus como símbolo do Seu pacto com Abraão (Gn 17.9,10), e Paulo interpretou a circuncisão como o selo da justiça da fé (Rm 4.11-13) e disse que o sacramento do batismo substituiu esse rito judeu (Cl 2.11-13). O próprio Antigo Testamento já ensinava sobre o princípio espiritual desse rito, falando da circuncisão do coração (Dt 10.16), dos ouvidos (Jr 6.10) e dos lábios (Êx 6.20). O apóstolo Paulo diz que só a circuncisão do coração torna alguém espiritualmente judeu (Rm 2.28,29).

Somente aqueles que crêem são filhos espirituais de Abraão (Gl 3.29).

William Hendriksen corretamente exorta:

> O conceito de que Deus, ainda hoje, reconhece dois grupos favoritos – de um lado a Igreja e do outro os judeus – é completamente antibíblico.[330]

O povo de Deus identificado (3.3)

Assim como Paulo fez uma tríplice descrição dos falsos mestres, também faz uma tríplice identificação do povo de Deus. Os falsos mestres queriam tornar o cristianismo uma seita judaica. Eles ensinavam que a salvação dependia da circuncisão, anulando, assim, a suficiência do sacrifício de Cristo. Pregavam que a graça de Deus não era suficiente para a salvação e que o homem tinha de concorrer e cooperar com Deus nessa obra, circuncidando-se. Paulo refuta vigorosamente essa heresia, mostrando que a verdadeira circuncisão não é aquela feita na carne, mas a circuncisão do coração, operada pelo Espírito Santo de Deus. A Igreja, e não os falsos mestres, é que possui a verdadeira circuncisão. Paulo diz: "Porque nós é que somos a circuncisão..." (3.3).

Como Paulo descreve o povo de Deus?

Em primeiro lugar, *o povo de Deus é identificado pela adoração* (3.3). A questão não é adoração, mas a quem ela é prestada e de que forma. A igreja adora a Deus e o faz mediante a ação do Espírito Santo. Toda adoração que não é prestada a Deus é idolatria; toda adoração oferecida a Deus sem a ação do Espírito não é aceitável por Ele.

A palavra grega para "adoração", *latreia,* bem como o verbo "adorar", *latreuo,* têm um uso exclusivamente religioso no Novo Testamento. Ambos enfatizam que não podemos separar o culto que prestamos no templo daquele que prestamos com a vida, fora do templo.[331]

É perfeitamente possível que alguém seja capaz de observar meticulosamente todas as práticas externas da religião e ao mesmo tempo esteja abrigando em seu coração a amargura, o ódio e o orgulho. Os fariseus estavam na sinagoga reprovando Jesus porque Ele curou o homem da mão ressequida no sábado, mas não atentaram para o fato de que na mesma sinagoga eles estavam cheios de ódio tramando a morte de Jesus (Mc 3.1-6). Eles pensavam que estavam na sinagoga adorando, mas o culto deles não era movido pelo Espírito Santo.

Em segundo lugar, *o povo de Deus é identificado pela centralidade da sua vida em Cristo* (3.3). O povo de Deus aprecia plenamente quem Cristo é o que Cristo fez e Nele tem toda a sua exultação. O povo de Deus não se gloria na carne nem em ritos religiosos; antes, o seu prazer está no Senhor. O seu prazer, a sua vida e a sua confiança estão na Pessoa de Cristo. O bendito Filho de Deus é a nossa vida (1.21), o nosso exemplo (5), o nosso alvo (3.12-14) e a nossa força (4.13).

Gloriar-se em Cristo é ter Nele todo o prazer e deleite. Ele nos é suficiente. Ele nos satisfaz plenamente. O povo de Deus se gloria na cruz de Cristo, isto é, em Sua expiação, como a única base para a sua salvação. O Senhor é o objeto da exultação dos crentes. Aquele que se gloria, glorie-se no Senhor (1Co 1.31; 2Co 10.17).

Em terceiro lugar, *o povo de Deus é identificado pela sua decisão de não confiar na carne* (3.3). Segundo Werner de Boor a palavra "carne" aqui representa toda a religião produzida pessoalmente nas profundezas do coração e do estado de espírito. Essa "carne" pode ser sempre reconhecida no fato de que o ser humano continua voltado para si mesmo, confia em si mesmo e se gloria em si mesmo. "Carne" é a sua natureza centrada em si mesma. Mesmo quando exerce a moral e a religião, o ser humano fica preso a seu eu, cultiva e o gloria, até mesmo quando cita o nome de Deus.[332]

Os falsos mestres estavam confiados na carne, em rituais, em cerimônias externas, em realizações humanas. Contudo, a igreja é um povo que põe a sua confiança em Deus e sua fé na Pessoa bendita de Jesus Cristo. O cristianismo não é aquilo que nós fazemos para Deus, mas o que Deus fez por nós. Não confiamos no que fazemos ou deixamos de fazer, mas no que Deus fez por nós em Cristo Jesus.

O testemunho de Paulo anunciado (3.4-6)

Destacamos dois pontos para a nossa reflexão:

Em primeiro lugar, *os privilégios de Paulo* (3.4,5). O apóstolo está fazendo um contraste entre ele e os falsos mestres que confiavam na carne. Ele está argumentando que ele teria muito mais razões para confiar na carne do que eles. E, então, passa a listar seus privilégios como judeu. Ele mostra a esses falsos mestres de plantão as suas credenciais. Ele não o faz para jactar-se, mas para mostrar que sabia o que era ser judeu e deliberadamente abandonou esses predicados por causa de Jesus Cristo.[333] Que privilégios eram esses?

Privilégio eclesiástico: ele era circuncidado ao oitavo dia (3.5). Ele não era um judeu prosélito; ele nasceu judeu e era um membro da raça que havia recebido o rito da circuncisão no tempo estabelecido pela lei (Gn 17.12; Lv 12.3). Com essa expressão, Paulo diz que não é um descendente de Ismael que foi circuncidado aos 13 anos

(Gn 17.25) nem um prosélito que recebia a circuncisão depois de adulto, mas alguém que nasceu na mais pura fé judaica. Nesse sentido, Paulo excedia os judaizantes.

Privilégio de nacionalidade: ele era da linhagem de Israel (3.5). Não era um judeu apenas por adesão religiosa, mas judeu por direito de nascimento. Só os judeus podiam traçar sua descendência até Jacó, a quem Deus dera o nome de Israel. Chamando a si mesmo de israelita, Paulo sublinha a pureza absoluta de sua raça e de sua descendência.[334] Paulo pertencia ao povo eleito, o povo do concerto, o povo exclusivamente privilegiado (Êx 19.5,6; Nm 23.9; Sl 147.19,20; Am 3.2; Rm 3.1,2; 9.4,5). Porventura os judaizantes podiam com justiça reivindicar tal pureza genealógica para cada um de *per si*?[335]

Privilégio ancestral: ele era da tribo de Benjamim (3.5). Benjamim foi o único filho de Jacó que nasceu na Terra Prometida. A tribo de Benjamim é uma das mais importantes, pois foi a única que se manteve leal junamente com a tribo de Judá, à dinastia de Davi (1Rs 12.21). Dessa tribo, procedia o primeiro rei de Israel. Assim, Paulo não só está afirmando que era israelita, mas também que pertencia à elite de Israel, pois pertencia, sem sombra de dúvida, à nobilíssima e à mais ilustre de todas as tribos de Israel.

Em segundo lugar, *os méritos de Paulo* (3.5,6). Até então, Paulo listara o que ele tinha por direito de nascimento, agora vai listar o que adquiriu por escolha sua.

Ele era hebreu de hebreus (3.5). Essa expressão, além de enfatizar que tinha puro sangue, denota os judeus que normalmente falavam aramaico entre si e freqüentavam sinagogas em que se celebrava o culto em hebraico (bem diferentes dos helenistas, que só falavam o grego).[336] Paulo falava a língua hebraica (At 21.40). Embora tenha nascido na cidade pagã de Tarso, foi para Jerusalém e educou-se aos pés de Gamaliel (At 22.3). Ele não era apenas um judeu helênico, mas um judeu atrelado à mais pura tradição judia. Ralph Martin diz, outrossim, que esse argumento é apresentado como prova de sua estrita ortodoxia, não maculada por nenhuma influência estrangeira (2Co 11.22).

Quanto à lei, ele era fariseu (3.5). Os fariseus constituíam o grupo mais zeloso pela lei e tradição da religião judaica. Ralph Martin diz que a principal característica da vida de um fariseu era a reputação de ser um cuidadoso e fervoroso cumpridor da lei mosaica e de suas tradições.[337] O próprio nome fariseu significa "separado". William Hendriksen diz que essa facção religiosa se originou durante o período intertestamentário em reação aos excessos dos judeus negligentes e indiferentes que se imbuíram do espírito helenista em seus aspectos insípidos. Assim, os fariseus ou separatistas vieram a separar-se dessas pessoas mundanas. Os fariseus não eram patriotas como os zelotes, nem radicais como os saduceus, nem políticos como os herodianos. Sua alta consideração pela lei de Deus é digna de admiração.[338] Essa seita do judaísmo tinha se separado da vida comum e das tarefas comuns para consagrar suas vidas à observância minuciosa dos detalhes da lei. William Barclay diz que, embora eles não fossem muitos, eram os corifeus espirituais do judaísmo.[339] Paulo escolheu ser fariseu (At 23.6). Tornou-se extremamente zeloso da tradição de seus pais (Gl 1.14). Como fariseu, pertenceu ao segmento mais severo da religião judaica (At 26.5).

O maior equívoco dos fariseus foi dar excessivo valor ao sistema legalista de interpretação que os escribas impuseram à lei, sepultando-a sob o peso de suas tradições

(Mc 7.13).[340] Essa falsa interpretação dos fariseus levou-os a se colocarem como inimigos de Cristo. Jesus os chamou de hipócritas e presunçosos (Mt 6.2,16; 23.5-7), néscios e cegos (Mt 23.16-22), serpentes e raça de víboras (Mt 23.33), sepulcros caiados (Mt 23.13,15,23,25,27,29).

Quanto ao zelo, ele era perseguidor da igreja (3.6). Paulo era um judeu no seu sentido pleno, pela hereditariedade, pela cultura e pela religião. No entanto, mais do que isso, ele se levantou com todas as forças da sua alma para combater a Igreja de Cristo. Para um judeu, a maior qualidade religiosa era o zelo (Nm 25.11-13). Um zelo ardente por Deus era o emblema de honra e o distintivo da religião judaica. Paulo usou esse zelo para perseguir a Igreja (At 9.1,2; 22.1-5; 26.9-15; 1Co 15.9; Gl 1.13).

Quanto à justiça que há na lei, ele era irrepreensível (3.6). Essa irrepreensibilidade não era moral, mas religiosa. A palavra grega usada por Paulo, *amemptos*, traz a idéia de "culpar por pecados de omissão". Assim, o que ele afirma é que não existe nenhuma exigência da lei que não tenha cumprido.[341] Ele perseguia implacavelmente a Igreja por zelo às convicções da sua fé.

A sublimidade do evangelho estabelecida (3.7-11)

Destacamos três pontos importantes para o nosso ensino:

Em primeiro lugar, *o valor do evangelho* (3.7,8). O apóstolo Paulo, contrastando sua vida no judaísmo com sua experiência com Cristo, considerou como perda o que antes lhe parecia lucro. Ele era um genuíno israelita, de nobre nascimento, ortodoxo em sua crença e escrupuloso em sua conduta. Estava pronto a dar o seu sangue e derramar o sangue dos cristãos para agradar a Deus e chegar até Ele. Essas coisas, porém, que foram anotadas, uma a uma, na coluna do *crédito*, agora passaram para a coluna do *débito*, e se converteram numa gigantesca perda.[342] William Hendriksen ilustra essa verdade assim:

> A palavra perda, a qual Paulo usa nos versículos 7 e 8, e em nenhuma outra parte de suas epístolas, ocorre em apenas outra passagem do Novo Testamento (At 27.10,21), na narrativa da viagem perigosa. E é exatamente essa mesma passagem que também indica como o lucro pode se reverter em perda. A mercadoria daquele navio, que navegava para a Itália, representava lucro potencial para os mercadores, para o proprietário e para os famintos do navio. Todavia, não fosse esse trigo lançado ao mar (At 27.38), muito provavelmente não só o navio, mas também todos os tripulantes acabariam perecendo. Assim também a vantagem de se ter nascido num lar cristão e de se receber uma maravilhosa e cristã educação doméstica torna-se desvantagem quando é considerada como base sobre a qual se constrói a esperança de vida eterna. O mesmo se pode dizer com respeito ao dinheiro, ao atrativo pessoal, à cultura, ao vigor físico etc. Tais benefícios podem se reverter em obstáculos. Os degraus se transformarão em objetos de tropeço se forem usados de modo errado.[343]

Quatro verdades devem ser destacadas a respeito do valor do evangelho:

A Pessoa de Cristo é mais importante do que os rituais religiosos (3.7). Os judaizantes se gloriavam na carne e centralizavam a confiança deles para a salvação em um rito físico. Mas tudo isso não tem nenhum valor para a salvação. Nossa confiança deve estar em Cristo, e não nos rituais. Se Paulo não tivesse renunciado ao demasiado valor que atribuía a esses privilégios e empreendimentos, eles o teriam privado de Cristo, o único lucro real (3.8).

O conhecimento de Cristo não é apenas teórico, mas, sobretudo, um relacionamento íntimo e pessoal (3.8). Paulo considera seus privilégios e méritos na religião judaica como pura perda em virtude do seu relacionamento pessoal com Cristo, o Senhor da sua vida. William Hendriksen diz:

> Assim como o nascer do sol apaga a luz das estrelas, e assim como a presença de uma pérola de grande valor apaga o brilho das demais gemas, assim também a comunhão com Cristo eclipsa o brilho de todas as coisas.[344]

O amor a Cristo corrige as nossas prioridades (3.8). Paulo não apenas abre mão de suas prerrogativas e vantagens, mas as considera como perda por amor a Cristo. O amor de Cristo o constrangeu, e seu amor por Cristo o levou a renunciar a tudo o que antes lhe parecia vantajoso.

Ter a Cristo nos leva a ver as vantagens pessoais e religiosas como refugo (3.8). A palavra grega *skybala* usada por Paulo para "refugo" tem dois significados: Em linguagem comum, significa "aquilo que era lançado aos cães"; na linguagem médica, significa "excremento, esterco".[345] Ralph Martin chega a dizer que o termo *skybala* é vulgar para descrever o excremento humano, ou restos de alimento destinados à lata de lixo. Dessa forma, os termos "esterco" e "refugo" não expressam toda a sua repugnância. Assim, todos os privilégios cerimoniais, religiosos, do passado, são desdenhosamente jogados de lado, como lixo.[346] O que os judaizantes têm em tão alta conta, o apóstolo considera ser de nenhum préstimo, senão refugo, algo que só servia para lançar-se aos cães.[347]

Em segundo lugar, *o conteúdo do evangelho* (3.9). O conteúdo do evangelho não é o que fazemos para Deus, mas o que Deus fez por nós em Cristo. A palavra-chave aqui é *justiça*. A Igreja é um povo que foi justificado por

Deus, por causa do sacrifício perfeito e cabal de Cristo na cruz. Destacamos aqui alguns pontos:

A justificação é uma obra de Deus (3.9). Todas as nossas justiças são como trapos de imundícia aos olhos de Deus (Is 64.6). Deus é justo e não pode contemplar o mal. Ele não inocentará o culpado. A alma que pecar, essa morrerá. A Bíblia diz que todos pecaram. Não há justo, nem um sequer. Todavia, Deus enviou Seu Filho como nosso substituto e fiador. Ele foi à cruz em nosso lugar. Quando estava pregado no madeiro, Deus fez cair sobre Ele a iniqüidade de todos nós. Ele foi ferido de Deus e traspassado pelas nossas iniqüidades. Antes de render o Seu espírito, Jesus deu um brado: "Está consumado". Isso significa: está pago! Nossa dívida foi paga. A justiça perfeita de Cristo foi imputada a nós, ou seja, depositada em nossa conta. Em razão dos méritos do sacrifício de Cristo, Deus nos declara justos. Agora, portanto, não há mais nenhuma condenação para aqueles que estão em Cristo. Essa é a justiça de Deus imputada a nós.

William Hendriksen está coberto de razão quando afirma que, enquanto uma pessoa se conserva apegada à sua própria justiça, mesmo num grau ínfimo, ela jamais desfrutará a plena justiça de Cristo. As duas não podem, de modo algum, andar juntas. É necessário que uma seja plenamente renunciada antes que a outra seja plenamente possuída.[348]

A justificação é por meio de Cristo (3.9). Deus justifica todo aquele que está em Cristo sem justiça própria, que procede da lei. Somos justificados pelos méritos de Cristo. Sua obra na cruz, e não os nossos esforços, nos garante a justificação. "Ser achado Nele e ser justificado são uma e a mesma coisa".[349] Warren Wiersbe corretamente diz que há somente uma "boa obra" que pode levar o pecador para o céu: a obra que Cristo consumou na cruz (Jo 7.1-4; 19.30; Hb 10.11-14).[350]

A justificação é recebida pela fé (3.9). A justificação é mediante a fé em Cristo. A fé não é a sua causa, mas o seu instrumento de apropriação. A relação justa com Deus não se baseia na lei, mas na fé em Cristo Jesus. Ninguém a conquista, Deus a dá; ninguém a ganha por obras, mas a aceita com confiança. Assim, o caminho da paz com Deus não é o caminho das obras, mas o caminho da graça.

Em terceiro lugar, *a comunhão do evangelho* (3.10,11). O evangelho é mais do que um punhado de verdades e dogmas; é uma pessoa. Ser cristão não é apenas ter na mente as doutrinas do cristianismo, mas ter um íntimo relacionamento com Cristo. Esse conhecimento não é apenas intelectual, mas, sobretudo, uma experiência pessoal. O verbo grego *kinoskein,* "conhecer", usado por Paulo é o mesmo verbo hebraico *yadá,* utilizado para o relacionamento conjugal entre Adão e Eva (Gn 4.1). O nosso relacionamento com Cristo tem pelo menos três implicações:

Implica a apropriação do poder da vida sobre a morte (3.10). Se o amor de Deus é demonstrado de modo supremo na morte de Cristo (Rm 5.8), o poder de Deus é demonstrado de modo supremo na ressurreição de Cristo.[351] Paulo diz que o mesmo poder que ressuscitou Jesus dentre os mortos está à nossa disposição. Não apenas com gloriosas verdades antigas, mas também com um poder sempre vivo, dinâmico e atual. William Barclay diz que a ressurreição de Cristo é garantia de que esta vida é digna de ser vivida e de que para Deus o corpo físico é sagrado; que a morte não é o fim; e que nada na vida ou na morte pode nos separar de Cristo.[352]

Implica a capacitação para enfrentar o sofrimento e a morte (3.10). Se, em certo plano, Paulo partilhou o poder do Cristo ressurreto, em outro plano o apóstolo partilhou os Seus sofrimentos. Sofrer por Cristo é um privilégio (1.29). Paulo estava na prisão, aguardando a sua sentença. Ele não era um masoquista que gostava de sofrer nem um eremita que via o sofrimento como meritório. Ao contrário, por causa de sua comunhão com Cristo, ele conhecia o poder da vida e também estava pronto a enfrentar o sofrimento da morte. Sofrer pela fé não é motivo de tristeza, mas de deleite inefável.

Implica a gloriosa expectativa da vida futura (3.11). Essa palavra de Paulo não deve ser vista como uma dúvida ou tímida esperança. O que Paulo está dizendo é que antes da ressurreição vem a morte; antes da alegria vem o choro; antes dos montes alcantilados vêm os vales.

NOTAS DO CAPÍTULO 9

[314] MOTYER, J. A. *The message of Philippians*, 1991: p. 147.

[315] BARTON, Bruce B. et all. *Life application Bible commentary on Philippians*, 1995: p. 83.

[316] BARCLAY, William. *Filipenses, Colosenses, I y II Tesalonicenses*, 1973: p. 61.

[317] HENDRIKSEN, William. *Efésios e Filipenses*, 2005: p. 526.

[318] BRUCE, F. F. *Filipenses*, 1992: p. 113.

[319] HENDRIKSEN, William. *Efésios e Filipenses*, 2005: p. 527.

[320] MARTIN, Ralph P. *Filipenses: Introdução e comentário*, 1985: p. 138.

[321] DE BOOR, Werner. *Carta aos Efésios, Filipenses e Colossenses*, 2006: p. 231.

[322] BRUCE, F. F. *Filipenses*, 1992: p. 113.

[323] BARCLAY, William. *Filipenses, Colosenses, I y II Tesalonicenses*, 1973: p. 63.

[324] WIERSBE, Warren W. *Comentário bíblico expositivo*. Vol. 6, 2006: p. 109.

[325] MARTIN, Ralph P. *Filipenses: Introdução e comentário*, 1985: p. 139.

[326] HENDRIKSEN, William. *Efésios e Filipenses*, 2005: p. 528.

[327] BARCLAY, William. *Filipenses, Colosenses, I y II Tesalonicenses*, 1973: p. 63.

[328] BARTON, Bruce B. et all. *Life application Bible commentary on Phillipians*, 1995: p. 85.

[329] BARCLAY, William. *Filipenses, Colosenses, I y II Tesalonicenses*, 1973: p. 64,65.

[330] HENDRIKSEN, William. *Efésios e Filipenses*, 2005: p. 529.

[331] MOTYER, J. A. *The message of Philippians*, 1991: p. 150.

[332] DE BOOR, Werner. *Carta aos Efésios, Filipenses e Colossenses*, 2006: p. 233.

[333] BARCLAY, William. *Filipenses, Colosenses, I y II Tesalonicenses*, 1973: p. 66,67.

[334] BARCLAY, William. *Filipenses, Colosenses, I y II Tesalonicenses*, 1973: p. 67.

[335] HENDRIKSEN, William. *Efésios e Filipenses*, 2005: p. 534.

[336] Bruce, F. F. *Filipenses*, 1992: p. 117.

[337] Martin, Ralph P. *Filipenses: Introdução e comentário*, 1985: p. 142.

[338] Hendriksen, William. *Efésios e Filipenses*, 2005: p. 538.

[339] Barclay, William. *Filipenses, Colosenses, I y II Tesalonicenses*, 1973: p. 69.

[340] Hendriksen, William. *Efésios e Filipenses*, 2005: p. 538.

[341] Barclay, William. *Filipenses, Colosenses, I y II Tesalonicenses*, 1973: p. 69,70.

[342] Hendriksen, William. *Efésios e Filipenses*, 2005: p. 539,541.

[343] Hendriksen, William. *Efésios e Filipenses*, 2005: p. 541.

[344] Hendriksen, William. *Efésios e Filipenses*, 2005: p. 543.

[345] Barclay, William. *Filipenses, Colosenses, I y II Tesalonicenses*, 1973: p. 71.

[346] Martin, Ralph P. *Filipenses: Introdução e comentário*, 1985: p. 145.

[347] Hendriksen, William. *Efésios e Filipenses*, 2005: p. 543.

[348] Hendriksen, William. *Efésios e Filipenses*, 2005: p. 544.

[349] Martin, Ralph P. *Filipenses: Introdução e comentário*, 1985: p. 146.

[350] Wiersbe, Warren W. *Comentário bíblico expositivo.* Vol. 6, 2006: p. 110.

[351] Bruce, F. F. *Filipenses*, 1992: p. 124.

[352] Barclay, William. *Filipenses, Colosenses, I y II Tesalonicenses*, 1973: p. 73.

Capítulo 10

O testemunho do apóstolo Paulo

(Fp 3.12-21)

O APÓSTOLO PAULO FALOU sobre a supremacia de Cristo no capítulo 1, a primazia do outro no capítulo 2, e, agora, nos dá um esboço da sua própria biografia no capítulo 3. Paulo descortinou o seu passado nos versículos 1 a 11; lançou luz sobre o seu presente nos versículos 12 a 16 e apontou para o seu futuro nos versículos 17 a 21.

No passado, Paulo abriu mão de seus valores. No presente, Paulo se via como um atleta que corre celeremente para a linha de chegada, a meta final da carreira cristã, e no futuro, Paulo se apresentou como "estrangeiro", cuja cidadania está no céu, de onde aguarda a segunda vinda de Cristo.

Paulo, o atleta (3.12-16)

O apóstolo usa neste parágrafo a figura do atletismo para descrever a sua vida cristã. Ele é um homem que tem olhos abertos para ver o mundo ao seu redor e tirar ricas lições espirituais. Para um atleta participar dos jogos olímpicos em Atenas, precisava primeiro ser cidadão grego. Ele não competia para ganhar a cidadania. Assim, também, nós não corremos a carreira cristã para ganhar o céu, mas porque já somos cidadãos do céu (3.20).

Warren Wiersbe compreendeu bem o ensino de Paulo neste texto e nos fala sobre os elementos essenciais para se ganhar a corrida e receber a recompensa.[353]

Em primeiro lugar, *insatisfação* (3.12-13a). O apóstolo veterano e prisioneiro de Cristo afirma: "... não julgo havê-lo alcançado" (3.13). Em matéria de progresso rumo à perfeição, Paulo é um irmão entre irmãos, diz J. A. Motyer. Por ser líder, não deixa de ser um cristão que luta como os demais para alcançar o que Deus preparou para os Seus filhos.[354] Paulo participa de uma corrida; ainda que não envergue a faixa de campeão e tampouco empunhe a taça, mas deve continuar correndo, até que esses prêmios lhe sejam atribuídos.[355]

Embora tenha sido um homem de Deus, um vaso de honra, um servo fiel, um instrumento valoroso na pregação do evangelho e no plantio de igrejas, Paulo nunca ficou satisfeito com suas vitórias espirituais. À semelhança de Moisés, ele sempre queria mais (Êx 33.18). Uma "insatisfação santa" é o primeiro elemento essencial para avançar na corrida cristã.[356]

Muitos cristãos estão satisfeitos consigo mesmos ao se compararem àqueles que já estão trôpegos e parados. Paulo não se comparava com outros, mas com Cristo. Ele ainda não chegou à perfeição (3.12), muito embora seja perfeito, ou seja, amadurecido na fé (3.15). Uma das características dessa maturidade é a consciência da própria imperfeição! O cristão maduro faz uma auto-avaliação honesta e se esforça para melhorar.[357] A luta contra o pecado ainda não terminou, pois essa perfeição não se alcança na presente vida (Rm 7.14-24; Tg 3.2; 1Jo 1.8).

William Barclay nos ajuda a entender esta palavra grega *teleios*, "perfeito". Ela era empregada não apenas para a absoluta perfeição, mas também para certo tipo de perfeição, por exemplo: 1) significa desenvolvido plenamente em contraposição ao não desenvolvido; um homem maduro em contraposição a um jovem; 2) usa-se para descrever o homem de mente madura em oposição a um principiante em algum estudo; 3) quando se trata de oferendas, significa sem mácula e adequado para o sacrifício a Deus; 4) aplicado aos cristãos, com freqüência designa os batizados como membros plenos da igreja em oposição aos que estão sendo instruídos para serem recebidos na igreja.[358] J. A. Motyer, citando Bengel, diz que o termo "maduro" foi tirado dos jogos atléticos, cujo significado é "coroado como vencedor".[359]

Ralph Martin diz que esse termo "perfeição" era muito usado pelos falsos mestres. Os judaizantes se vangloriavam de sua "perfeição", quer fosse como judeus que professavam guardar a lei em sua inteireza, quer como judeus cristãos que se "gloriavam" da circuncisão. Os cristãos gnósticos, por sua vez, reivindicavam serem iluminados, como homens do Espírito. Paulo, porém, explicitamente negou aquilo que eles afirmavam ter obtido, isto é, a "perfeição".[360]

A presunção espiritual é um engano e um sinal evidente de imaturidade espiritual. A igreja de Sardes julgava a si mesma uma igreja viva, mas na avaliação de Jesus estava morta (Ap 3.1). A igreja de Laodicéia se considerava rica e abastada, mas Jesus a considerou uma igreja pobre, cega e nua (Ap 3.17). Sansão pensou que ainda tinha força quando, na realidade, a perdera (Jz 16.20). O despertamento espiritual de uma igreja começa não pela empáfia espiritual, mas pela humildade e o reconhecimento de que ainda precisa buscar mais a Deus (Sl 42.1,2).

Em segundo lugar, *dedicação* (3.13b). O apóstolo Paulo diz: "... uma coisa faço...". O apóstolo Paulo tinha seus olhos fixos na meta e não se desviava de seu objetivo. Ele era um homem dedicado exclusivamente à causa do evangelho. Não se deixava distrair por outros interesses. Sua mente estava voltada inteira e exclusivamente para fazer a vontade de Deus.

A Bíblia diz que aquele que põe a mão no arado e olha para trás não é apto para o Reino de Deus (Lc 9.62). Marta ficou distraída com muitas coisas, mas Jesus lhe disse que uma só era necessária (Lc 10.42). Há crentes que dividem a sua atenção com muitas coisas. São como a semente lançada no espinheiro. Há muitos concorrentes que sufocam a semente, e ela não frutifica (Mc 4.7,18,19).

Antes do incêndio trágico de Chicago, em 1871, Dwight L. Moody estava envolvido com a divulgação da Escola Bíblica Dominical, com a Associação Cristã de Moços, com encontros evangelísticos e com várias atividades, mas, depois do incêndio, tomou o propósito de se dedicar exclusivamente ao evangelismo.[361] O princípio ensinado por Paulo de "... uma coisa faço..." tornou-se realidade para ele. O resultado foi que centenas de milhares de pessoas se renderam a Cristo.

Devemos nos concentrar na obra de Deus como Neemias, o governador que restaurou a cidade de Jerusalém depois do cativeiro babilônico. Quando seus opositores tentaram desviar sua atenção da obra de reconstrução, ele respondeu: "Estou fazendo grande obra, de modo que não poderei descer..." (Ne 6.3).

Em terceiro lugar, *direção* (3.13c). O apóstolo Paulo mostra a necessidade imperativa de termos direção clara e segura nessa corrida da carreira cristã, quando diz: "... esquecendo-me das cousas que para trás ficam e avançando para as que diante de mim estão" (3.13). Quem corre em uma competição, não olha para trás, por cima do ombro, a fim de calcular que distância já percorreu, nem como vão os concorrentes: quem corre, fixa os olhos na meta de chegada.[362]

O cristão não pode ser distraído pela preocupação quanto ao passado (3.13) nem quanto ao futuro (4.6,7). Se Paulo não esquecesse o passado, sua vida seria um inferno (1Tm 1.12-17). Se Paulo não abandonasse os seus pretensos méritos, não descansaria na graça de Deus (3.7). O corredor que olha para trás, perde a velocidade, a direção e a corrida. Aquele que lança a mão no arado e olha para trás, não é apto para o reino (Lc 9.62).

Olhar para trás num saudosismo do passado é perigoso. A mulher de Ló, por ter olhado para trás quando a cidade de Sodoma estava sendo destruída, desobedecendo, assim, à orientação divina, foi transformada numa estátua de sal (Gn 19.26). O povo de Israel, por influência dos dez espias incrédulos, quis voltar para o Egito e pereceu no deserto. José do Egito, maltratado pelos seus irmãos, não guardou ressentimento; antes, quando lhe nasceu o filho primogênito, deu-lhe o nome de Manassés, que significa "perdão" (Gn 41.51).[363]

Em quarto lugar, *determinação* (3.14). O apóstolo Paulo ensina outro princípio para o sucesso nessa corrida, quando diz: "... prossigo para o alvo..." (3.14). Esse verbo usado aqui e no versículo 12 tem o sentido de esforço intenso. Os gregos costumavam usar esse termo para descrever um caçador perseguindo avidamente a presa. Um indivíduo não se torna um atleta vencedor ouvindo palestras, lendo livros ou torcendo nos jogos. Antes, o atleta bem-sucedido entra no jogo e se mostra determinado a vencer![364]

Ralph Martin diz que antigamente Paulo perseguia os crentes; agora, ele persegue (como caçador) a vocação de uma vida em Cristo. Paulo diz: "... prossigo para o alvo...". A palavra grega *skopos,* "alvo", é encontrada somente aqui em todas as cartas paulinas. Significa a fita diante da meta, no final da pista, à qual o atleta dirige seu olhar.[365] Werner de Boor diz que, embora Paulo esteja nessa corrida de forma voluntária, ele empenha toda a sua força. Ele não é instigado nem atiçado por trás, com ordens; mas atraído pelo alvo, pelo prêmio da vitória. Assim é o cristão![366]

Paulo era um homem determinado no que fazia: na perseguição à Igreja, antes de conhecer a Cristo (3.6); agora, em seguir a Cristo (3.14). Se os crentes tivessem a mesma determinação para lutar pela Igreja e pelo Reino de Deus que têm pelos estudos, trabalho, esporte, dinheiro, haveria uma revolução no mundo.

O que Paulo busca com tanta determinação? O prêmio da soberana vocação de Deus em Cristo Jesus. William Hendriksen diz que, no final da corrida, o vencedor era convocado, da pista ao estádio, a comparecer diante do banco do juiz a fim de receber o prêmio. Esse prêmio consistia em uma coroa de louros. Em Atenas, desde o tempo de Sólon, o vencedor olímpico recebia também a soma de 500 *drachmai.* Além de tudo, era-lhe permitido comer a expensas do erário público, e era-lhe concedido sentar-se no teatro em lugares de primeira classe.[367] Na corrida terrena, o prêmio é perecível; na celestial, o prêmio é imperecível (1Co 9.25). Na primeira, apenas um pode vencer (1Co 9.24); na última, todos os que amam a vinda de Cristo são vencedores (2Tm 4.8).[368] Paulo não corre por causa de prosperidade, saúde, sucesso ou fama. Sua ardente aspiração é Jesus. Os atletas olímpicos corriam por uma coroa de louros, mas os cristãos correm por uma coroa imarcescível.

Muito embora a salvação seja gratuita, somente aqueles que se esforçam entram no Reino. Werner de Boor afirma acertadamente que o prêmio da vitória é pura dádiva. Nenhum de nós se coloca por si mesmo em movimento rumo a Deus. Ninguém confecciona pessoalmente o prêmio da vitória. Contudo, não obteremos esse prêmio da vitória se permanecermos sentados à beira do estádio e refletirmos sobre ele, nem se fizermos declarações corretas acerca dele. Tampouco somos levados até ele em um automóvel da graça. Temos de "caçá-lo" com o empenho de todas as nossas forças.[369]

Em quinto lugar, *disciplina* (3.15,16). Paulo conclui seu pensamento, dizendo: "Todos, pois, que somos perfeitos, tenhamos este sentimento; e, se, porventura, pensais doutro modo, também isto Deus vos esclarecerá. Todavia, andemos de acordo com o que já alcançamos" (3.15,16). Ralph Martin corretamente diz que Paulo não está dizendo que a concordância com, ou a discordância do, seu ensino seria assunto indiferente, e que aqueles que discutiam seu ensino teriam direito às suas opiniões próprias.[370] Paulo está ainda utilizando a figura da corrida. A palavra grega *stochein,* "andemos" (3.16), é um termo militar que significa "permanecer em linha".[371]

Não basta correr com disposição e vencer a corrida; o corredor também deve obedecer às regras. Nos jogos gregos, os juízes eram extremamente rígidos com respeito aos regulamentos, e o atleta que cometesse qualquer infração era desqualificado. Não perdia a cidadania (apesar de desonrá-la), mas perdia o privilégio de participar e de ganhar um prêmio. Em Filipenses 3.15,16, Paulo enfatiza a importância de os cristãos lembrarem as "regras espirituais" que se encontram na Palavra, diz Warren Wiersbe.[372]

Mais tarde, o apóstolo Paulo ensinou esse mesmo princípio a Timóteo: "Igualmente, o atleta não é coroado se não lutar segundo as normas" (2Tm 2.5). Um dia, todo cristão vai se encontrar diante do tribunal de Cristo (Rm 14.10-12). O termo grego para "tribunal" é *bema*, a mesma palavra usada para descrever o lugar onde os juízes olímpicos entregavam os prêmios. Se nos disciplinarmos a obedecer às regras, receberemos o prêmio.[373] Cada atleta é julgado pelo júri. Um dia compareceremos diante do tribunal de Cristo para sermos julgados.

Ben Johnson, na Olimpíada de Barcelona, perdeu a medalha de ouro na corrida dos cem metros após constatarem que ele violara as regras. Teve de devolver a medalha e perdeu a posição.

A Bíblia está cheia de exemplos de pessoas que começaram bem a corrida, mas não chegaram ao fim por não levarem as regras de Deus a sério. Devemos correr sem carregar pesos inúteis do pecado e olhar firmemente para Jesus, o nosso alvo.

Paulo, o pastor (3.17-19)

Destacamos quatro verdades acerca de Paulo como pastor:

Em primeiro lugar, *Paulo é aquele que dá o exemplo de doutrina e de vida* (3.17). O apóstolo Paulo era um paradigma para os crentes tanto na questão da doutrina quanto na questão da ética. Ele era modelo tanto na teologia quanto na vida. Seu ensino e seu caráter eram aprovados. Sua vida confirmava sua doutrina, e sua doutrina norteava a sua vida. Ele recomendou a Timóteo, seu filho na fé: "Tem cuidado de ti mesmo e da doutrina..." (1Tm 4.16).

Ralph Martin diz que Paulo chama a atenção para si mesmo, em face de sua profunda percepção apostólica como homem do Espírito (1Co 2.16; 7.40; 14.37), opondo-se àqueles que afirmavam ter conhecimento superior dos caminhos de Deus. Assim, Paulo chamava os crentes à obediência à autoridade apostólica, algo mais do que um convite a que se imite o modo de vida do apóstolo.[374]

Nessa mesma linha de pensamento, J. A. Motyer diz que, quando Paulo nos ordena a seguir o seu exemplo (3.17), ele acrescenta uma explicação: "Pois..." (3.18). O elo de ligação entre estes dois versículos é o seguinte: Paulo ordena os crentes a imitá-lo porque, fazendo assim, eles estariam vivendo de acordo com a verdade da cruz (3.18) e da segunda vinda de Cristo (3.20). Em outras palavras, quando as verdades sobre a cruz e a segunda vinda de Cristo são assimiladas, certamente um caminho de vida segue naturalmente.[375]

Em segundo lugar, *o pastor é aquele que protege, dos falsos mestres o rebanho* (3.18). Paulo pregou a verdade e denunciou o erro. Ele promoveu o evangelho e combateu a heresia. Não fazia relações públicas acerca da verdade para agradar às pessoas. Ele chamou esses falsos mestres de inimigos da cruz de Cristo.

Quem eram esses inimigos da cruz de Cristo? Warren Wiersbe acredita que Paulo está falando dos mesmos judaizantes já descritos em Filipenses 3.2, uma vez que eles acrescentavam a Lei de Moisés à obra da redenção que Cristo havia realizado na cruz. Também, por causa de sua obediência às leis alimentares do Antigo Testamento, "... o deus deles é o ventre" (Fp 3.19) e sua ênfase sobre a circuncisão corresponderiam a gloriar-se em algo que deveria ser motivo de vergonha (Gl 6.12-15).[376] Os judaizantes eram inimigos da cruz de Cristo porque esta deu cabo da religião do ritualismo como meio de chegar até Deus. Com a morte de Cristo, o véu do templo foi rasgado, e agora o homem tem livre acesso a Deus por meio de Cristo, o novo e vivo caminho (Hb 10.19-25). O que eles consideravam uma linha divisória entre os homens, a circuncisão, Cristo derrubou por meio da sua morte (Ef 2.14-16).

William Hendriksen, entretanto, de forma diferente, pensa que Paulo não está aqui falando dos judaizantes, mas dos libertinos e sensualistas glutões e grosseiramente imorais.[377] A natureza pecaminosa é propensa a saltar de um extremo a outro, ou seja, do legalismo à libertinagem. Assim, esses falsos mestres eram aqueles que transformaram a liberdade cristã em libertinagem (Gl 5.13; 1Pe 2.11). Na Carta aos Romanos, Paulo apresenta advertência contra aqueles que dizem: "Pratiquemos males para que venham bens" (Rm 3.8b); "Permaneceremos no pecado, para que seja a graça mais abundante" (Rm 6.1b). "... porque esses tais não servem a Cristo, nosso Senhor, e sim a seu próprio ventre; e, com suas palavras e lisonjas, enganam o coração dos incautos" (Rm 16.18).

Na igreja de Corinto, Paulo enfrentou tanto os ascetas que proibiam o casamento (1Co 7.1) quanto os libertinos que diziam que tudo é permissível (1Co 6.12). De modo idêntico, ainda hoje, a graça de Deus é recebida em vão por aqueles que continuam a viver sob a lei e pelos que pensam que devem permanecer no pecado, para que a graça aumente.[378]

Em terceiro lugar, *o pastor é aquele que exorta com firmeza e com lágrimas* (3.18). Paulo tem firmeza e doçura. Ele exorta com a clareza da sua mente e com a profundidade do seu coração. Ele tem argumentos irresistíveis que emanam da sua cabeça e convencimento pelas lágrimas grossas que rolam da sua face. Paulo não é um apologeta ferino e frio, mas argumenta com irresistível clareza e com a eloqüência das lágrimas. Paulo chora sobre aqueles a quem ele ensinou e sobre aqueles a quem repreendeu (At 20.19,31; 2Co 2.4). Em Paulo, havia uma sincera união de verdade e amor. Ele advertiu sobre o erro e chorou sobre aqueles que permaneceram nele.[379]

O zelo pastoral de Paulo o levava às lágrimas na defesa de suas ovelhas. Ele se comovia ao perceber que algum perigo os ameaçava. O apóstolo era não só um homem de agudo discernimento e inquebrantável decisão, mas também de emoção ardente.[380] É bem provável que esses mestres estivessem posando como "modelos" de liderança cristã e, como conseqüência, minando a autoridade de Paulo. O apóstolo está emocionalmente comovido, enquanto escreve, até chorando, talvez muito mais por causa de crentes que abandonaram suas igrejas (2Co 2.4) do que pelos mestres que os desencaminharam.[381]

Em quarto lugar, *o pastor é aquele que não se engana acerca dos falsos mestres* (3.19). O apóstolo Paulo destaca quatro características dos falsos mestres:

Eles adoram a si mesmos. Paulo diz: "... o deus deles é o ventre..." (3.19). Eles vivem encurvados para o próprio umbigo. Visto que a palavra *koilia,* "ventre", pode significar "útero" ou "umbigo", Paulo pode estar simplesmente comentando o egocentrismo deles. Assim, tudo quanto fazem é fixar os olhos no próprio umbigo. O deus deles é eles mesmos.[382] A vida deles é centrada neles mesmos. São adoradores de si mesmos. Em vez de procurar manter seus apetites físicos sob controle (Rm 8.13; 1Co 9.27), compreendendo que nosso corpo é o templo do Espírito Santo, no qual Deus deve ser glorificado (1Co 6.20), essas pessoas se entregam à glutonaria e à licenciosidade.[383]

Paulo está rechaçando a idéia de que o homem vive para comer, em vez de comer para viver. Jesus rejeitou a proposta do diabo em transformar pedra em pão, dizendo que não só de pão vive o homem, mas de toda a palavra que procede da boca de Deus (Mt 4.4). A glutonaria é obra da carne, assim como a prostituição, a idolatria e a feitiçaria (Gl 5.19-21).

Eles invertem os padrões morais. Paulo continua: "... e a glória deles está na sua infâmia..." (3.19). Eles deveriam ter vergonha daquilo em que se gloriavam. Eles escarneciam da virtude e exaltavam o opróbrio. Ao mal, chamavam bem, e ao bem, mal; faziam das trevas luz, e da luz, trevas; colocavam o amargo por doce, e o doce, por amargo (Is 5.20). Eles não apenas levavam a bom termo seus maus desígnios, mas ainda se vangloriavam disso (Rm 1.32). A glória desses falsos mestres é a infâmia. A recompensa deles é fugaz. A decepção deles é certa. A ruína deles é veloz.

Eles têm suas mentes voltadas apenas para as coisas materiais, em vez das espirituais. O apóstolo é enfático, quando diz: "... visto que só se preocupam com as cousas terrenas" (3.19). Eles vivem sem a dimensão do eterno. O coração deles está sedento de coisas materiais, em vez de buscarem as riquezas espirituais.

Essa história se repete hoje. Muitos líderes religiosos, sem temor, têm-se empoleirado no púlpito, usando artifícios e malabarismos, com a Bíblia na mão, arrancando dinheiro das pessoas, fazendo promessas que Deus não faz em Sua Palavra. Esses obreiros fraudulentos, sem nenhum escrúpulo, mercadejam o evangelho da graça, para alimentar a sua ganância insaciável. Hoje, a religião, para muitos, tem sido um bom negócio, uma fonte de lucro, um caminho fácil de enriquecimento. O mercado da fé tem produto para todos os gostos. A oferta é abundante. A procura é imensa. A causa é a ganância. A conseqüência é o engano. O resultado é a decepção. O fim da linha é o inferno.

Eles caminham inexoravelmente para a perdição. O apóstolo é claro em afirmar: "O destino deles é a perdição...". Não há salvação fora da verdade. O caminho da heresia desemboca no abismo. O destino dos hereges é a perdição. William Hendriksen corretamente afirma que "perdição" não é o mesmo que *aniquilamento.* Não significa que cessarão de existir. Ao contrário, significa *punição eterna* (2Ts 1.9).[384]

Paulo, o cidadão do céu (3.20,21)

O apóstolo Paulo, depois de descrever o presente, falando da sua corrida rumo ao prêmio e após demonstrar o seu zelo pastoral, alertando acerca dos falsos mestres, lança o seu olhar rumo ao futuro e destaca três gloriosas verdades que são as âncoras da nossa esperança:

Em primeiro lugar, *o céu é a nossa Pátria* (3.20). O apóstolo Paulo diz: "Pois a nossa Pátria está nos céus..." (3.20). Paulo utiliza o substantivo *politeuma,* "pátria", que não se encontra em parte alguma do Novo Testamento. Essa palavra descreve, sobretudo, a conduta dos crentes filipenses no mundo. Se a pátria deles está nos céus, a conduta deles também deveria ser compatível com essa cidadania.[385]

Assim como Filipos era uma colônia de Roma em território estrangeiro, também a Igreja é uma "colônia do céu" na terra.[386] Somos peregrinos neste mundo. Não somos daqui. Nascemos de cima, do alto, de Deus. O céu é a nossa origem e também o nosso destino. O nosso nome está arrolado no céu (Lc 10.20), está registrado no livro da vida (4.3). É isso que determina nossa entrada final no país celestial (Ap 20.15).

Por causa da expectativa de habitar em uma cidade superior, Abraão contentou-se em viver em uma tenda (Hb 11.13-16). Por causa da expectativa da recompensa do céu, Moisés dispôs-se a abrir mão dos tesouros do Egito (Hb 11.24-26). Por causa da esperança de vivermos com Cristo no céu, devemos buscar uma vida de santidade hoje (1Jo 3.3).

A cidadania é importante. Quando viajamos para outro país é essencial ter um passaporte que comprove a nossa cidadania. Ninguém quer ter a mesma sina que Philip Nolan no conto clássico *O homem sem país*. Nolan amaldiçoou o nome do seu país e, por isso, foi condenado a viver a bordo de um navio e nunca mais ver a sua terra natal, sem sequer ouvir o seu nome ou receber notícias acerca do seu progresso. Passou cinqüenta e seis anos em uma viagem interminável de navio em navio, de mar em mar e, por fim, foi sepultado nas águas do oceano. Nolan foi um "homem sem pátria".[387]

O céu é um lugar e um estado. É o lugar da morada de Deus e da sua Igreja resgatada e um estado de bem-aventurança eterna, onde jamais entrarão a dor, a lágrima, o luto e a morte.

Em segundo lugar, *a segunda vinda de Jesus é a nossa esperança* (3.20). O apóstolo ainda afirma: "... de onde também aguardamos o Salvador, o Senhor Jesus Cristo". Três verdades devem ser aqui destacadas:

Aquele que vem é o Salvador, o Senhor Jesus Cristo. Ele é o Salvador e o Senhor. Nele nossa salvação foi realizada e consumada. Ele venceu a morte, ressuscitou, ascendeu ao céu e voltará.

Aquele que vem está no céu, assentado à destra do Pai. Jesus está no céu em uma posição de honra. Ele está no trono e tem o livro da História em suas mãos. Ele governa e reina soberanamente sobre a Igreja e todo o Universo.

Aquele que vem é o conteúdo da nossa esperança. A Igreja é a comunidade da esperança. Somos um povo que vive com os pés no presente, mas com os olhos no futuro. Vivemos cada dia na expectativa da iminente volta de Jesus. F. F. Bruce diz que cada geração sucessiva da Igreja desfruta o privilégio de viver como se fosse a geração que haverá de saudar o retorno de Cristo.[388] A esperança do regresso de Cristo tem poder santificador: "E a si mesmo se purifica todo aquele que nele tem esta esperança, assim como ele é puro" (1Jo 3.3).

Em terceiro lugar, *a glorificação é a nossa certeza inequívoca* (3.21). O apóstolo Paulo destaca alguns pontos:

O nosso corpo será glorificado na segunda vinda de Cristo (3.21). Quando a trombeta de Deus soar, e Cristo vier com o Seu séqüito de anjos, acompanhado dos santos glorificados, os mortos em Cristo ressuscitarão com corpos imortais, incorruptíveis, gloriosos, poderosos e celestiais (1Co 15.43-56). Os vivos, nessa ocasião, serão transformados e arrebatados para encontrar o Senhor nos ares, e, assim, estaremos para sempre com o Senhor (1Ts 4.13-18).

O nosso corpo será semelhante ao corpo da glória de Cristo. Nosso corpo de humilhação, sujeito à fraqueza, à enfermidade e ao pecado, será revestido da imortalidade e brilhará como o sol no seu fulgor, brilhará como as estrelas no firmamento, e será um corpo tão glorioso quanto o corpo da glória de Cristo. Seremos "... conformes à imagem de seu Filho" (Rm 8.29). "... devemos trazer também a imagem do celestial" (1Co 15.49). "Sabemos que, quando ele se manifestar, seremos semelhantes a ele, porque haveremos de vê-lo como ele é" (1Jo 3.2b).

A glorificação do nosso corpo se dará pelo poder infinito de Deus. Paulo afirma: "... segundo a eficácia do poder que ele tem de até subordinar a si todas as cousas" (3.21). William Hendriksen diz que maravilhosa é a energia da dinamite de Cristo, isto é, de Seu poder. Essa energia é Seu poder em ação, o exercício de Seu poder.[389] O termo "subordinar" significa "organizar em ordem de dependência, do inferior ao superior". Warren Wiersbe aplica:

> Esse é o problema hoje em dia: não colocar as coisas na devida ordem de prioridade. Uma vez que nossos valores encontram-se distorcidos, desperdiçamos nosso vigor em atividades inúteis, e nossa visão está de tal modo obscura que a volta de Cristo não parece ter qualquer poder para motivar nossa vida.[390]

Não há nada impossível para Deus. Ele pode tudo quanto Ele quer. Ele tomará nosso corpo de fraqueza e fará dele um corpo de glória. Aqui há continuidade e descontinuidade. Será outro a partir do que existe, mas outro totalmente novo.

Paulo conclui este capítulo de Filipenses atingindo o grau mais alto da escada. Desde a conversão, com o seu repúdio a todos os méritos humanos (3.7), a justificação e a santificação, como alvo da perfeição sempre em mira (3.8-19), atinge a grande consumação, quando alma e corpo, a pessoa por inteiro, em união com todos os santos, glorificará a Deus em Cristo nos novos céus e nova terra, pelos séculos dos séculos. E tudo isso pela soberana graça e poder de Deus e para a Sua eterna glória, diz William Hendriksen.[391]

NOTAS DO CAPÍTULO 10

[353] WIERSBE, Warren W. *Comentário bíblico expositivo.* Vol. 6, 2006: p. 115-118.

[354] MOTYER, J. A. *The message of Philippians,* 1991:p. 174,175.

[355] BRUCE, F. F. *Filipenses,* 1992: p. 130.

[356] WIERSBE, Warren W. *Comentário bíblico expositivo.* Vol. 6, 2006: p. 115.

[357] WIERSBE, Warren W. *Comentário bíblico expositivo.* Vol. 6, 2006: p. 115.

[358] BARCLAY, William. *Filipenses, Colosenses, I y II Tesalonicenses,* 1973: p. 75.

[359] MOTYER, J. A. *The message of Philippians,* 1991: p. 179.

[360] MARTIN, Ralph P. *Filipenses: Introdução e comentário,* 1985: p. 154.

[361] WIERSBE, Warren W. *Comentário bíblico expositivo.* Vol. 6, 2006: p. 116.

[362] BRUCE, F. F. *Filipenses,* 1992: p. 131.

[363] MARTIN, Ralph P. *Filipenses: Introdução e comentário,* 1985: p. 151.

[364] WIERSBE, Warren W. *Comentário bíblico expositivo.* Vol. 6, 2006: p. 117.

[365] MARTIN, Ralph P. *Filipenses: Introdução e comentário,* 1985: p. 153.

[366] DE BOOR, Werner. *Carta aos Efésios, Filipenses e Colossenses,* 2006: p. 244.

[367] HENDRIKSEN, William. *Efésios e Filipenses,* 2005: p. 557.

[368] HENDRIKSEN, William. *Efésios e Filipenses,* 2005: p. 558.

[369] DE BOOR, Werner. *Carta aos Efésios, Filipenses e Colossenses,* 2006: p. 246.

[370] MARTIN, Ralph P. *Filipenses: Introdução e comentário,* 1985: p. 155.

[371] BARTON, Bruce B. et all. *Life application Bible commentary on Philippians,* 1995: p. 102.

[372] WIERSBE, Warren W. *Comentário bíblico expositivo.* Vol. 6, 2006: p. 117.

[373] WIERSBE, Warren W. *Comentário bíblico expositivo.* Vol. 6, 2006: p. 118.

[374] MARTIN, Ralph P. *Filipenses: Introdução e comentário,* 1985: p. 156.

[375] Motyer, J. A. *The message of Philippians*, 1991: p. 183.

[376] Wiersbe, Warren W. *Comentário bíblico expositivo.* Vol. 6, 2006: p. 119.

[377] Hendriksen, William. *Efésios e Filipenses*, 2005: p. 561.

[378] Bruce, F. F. *Filipenses*, 1992: p. 139.

[379] Motyer, J. A. *The message of Philippians*, 1991: p. 184.

[380] Hendriksen, William. *Efésios e Filipenses*, 2005: p. 564.

[381] Martin, Ralph P. *Filipenses: Introdução e comentário*, 1985: p. 158.

[382] Martin, Ralph P. *Filipenses: Introdução e comentário*, 1985: p. 160.

[383] Hendriksen, William. *Efésios e Filipenses*, 2005: p. 566.

[384] Hendriksen, William. *Efésios e Filipenses*, 2005: p. 565,566.

[385] Bruce, F. F. *Filipenses*, 1992: p. 143.

[386] Wiersbe, Warren W. *Comentário bíblico expositivo.* Vol. 6, 2006: p. 119.

[387] Wiersbe, Warren W. *Comentário bíblico expositivo.* Vol. 6, 2006: p. 120.

[388] Bruce, F. F. *Filipenses*, 1992: p. 145.

[389] Hendriksen, William. *Efésios e Filipenses*, 2005: p. 569.

[390] Wiersbe, Warren W. *Comentário bíblico expositivo.* Vol. 6, 2006: p. 122.

[391] Hendriksen, William. *Efésios e Filipenses*, 2005: p. 569.

Capítulo 11

As recomendações apostólicas a uma igreja amada

(Fp 4.1-9)

A IGREJA DE FILIPOS ERA A alegria e a coroa do ministério de Paulo. Essa igreja nasceu num parto de dor, mas lhe trouxe muitas alegrias. Essa igreja associou-se a Paulo desde o início para socorrê-lo em suas necessidades. Era uma igreja sempre presente e solidária.

Paulo agora está fazendo suas últimas recomendações a essa igreja querida, a quem ele chama de "minha alegria e coroa". Na língua grega, há dois tipos diferentes de coroa: *diadema* significa "coroa real", e *stefanos,* "a coroa do atleta" que saía vitorioso dos jogos gregos. Essa era uma coroa de louros que o atleta recebia sob os aplausos da multidão que lotava o estádio. Ganhar essa coroa era a ambição suprema do atleta. No entanto, também, *stefanos* era a coroa com a qual se coroava os hóspedes quando participavam de um banquete nas grandes celebrações. Esta última palavra é a que Paulo usa neste texto.

É como se Paulo dissesse que os filipenses são a coroa de todas as suas fadigas, esforços e empenhos. Ele era o atleta de Cristo, e eles, a sua coroa. É como se dissesse que, no banquete final de Deus, os filipenses seriam a sua coroa festiva.[392] Ralph Martin, nessa mesma linha de pensamento, diz que o ambiente escatológico de Filipenses 3.20,21 contribui para a bela metáfora de um prêmio celestial a ser concedido a Paulo por seu trabalho pastoral.[393] Vejamos as recomendações do apóstolo à igreja de Filipos:

A firmeza no Senhor, uma necessidade imperativa (4.1)

O apóstolo Paulo ainda continua com o mesmo raciocínio. Porque os crentes são cidadãos do céu, eles devem ter coragem na terra para serem firmes.[394] Na igreja de Filipos, havia perigos internos e externos. A igreja estava sendo atacada por falsos mestres e por falta de comunhão. A heresia e a desarmonia atacavam a igreja. Existiam problemas que vinham de dentro e problemas que vinham de fora; problemas doutrinários e relacionais. A igreja estava sendo atacada por fora e por dentro. Diante desses perigos, Paulo exorta a igreja a permanecer firme no Senhor.

A palavra grega que Paulo usa para "estar firmes" é *stekete.* Essa palavra era aplicada ao soldado que permanecia firme em seu ímpeto na batalha ante a um inimigo que queria superá-lo.[395] Em vez de dar atenção aos falsos mestres ou se entregar às desavenças internas, a igreja deveria pôr a sua confiança no Senhor Jesus.

A igreja deve permanecer firme no Senhor por causa de sua herança (1.6) e vocação celestial (3.20,21). Ela deve permanecer firme, a despeito da hostilidade dos legalistas (3.2) e dos libertinos (3.18,19). Deve permanecer firme diante dos sinais de desarmonia nos relacionamentos (2.3,4) e dos desacordos de pensamento (4.2).[396]

A harmonia no relacionamento, uma súplica intensa (4.2,3)

Paulo não somente advertiu os crentes de Filipos acerca de erros doutrinários (3.1-19), mas também acerca dos problemas de relacionamento (4.2,3). A desarmonia entre dois membros da igreja não era um problema de pequena monta para o apóstolo.[397]

Evódia e Síntique eram duas irmãs que ocupavam posição de liderança na igreja, que haviam se esforçado com Paulo no evangelho e cujos nomes estavam escritos no livro da vida, mas, agora, estavam em desacordo na igreja. Elas tinham nomes bonitos (Evódia significa "doce fragrância", e Síntique, "boa sorte"), mas estavam vivendo de maneira repreensível.[398]

Em vez de buscar os interesses de Cristo e da igreja, lutavam por causas pessoais. Punham o *eu* acima do *outro.* Em vez de seguir o exemplo de Cristo e de Seus consagrados servos (2.5,17,20,30), imitavam aqueles que trabalhavam por vanglória e partidarismo (2.3,4). F. F. Bruce diz que o desacordo entre essas duas irmãs, não importando a sua natureza, representava uma ameaça à unidade da igreja, como um todo.[399]

Paulo solicita ajuda de um líder da igreja, que ele não nomeia, para auxiliá-las a fim de construírem pontes, em vez de cavar abismos. Precisamos exercer na igreja o ministério da reconciliação, em vez de jogar uma pessoa contra a outra. Precisamos aproximar as pessoas, em vez de afastá-las. A igreja é um corpo, e cada membro desse corpo deve trabalhar em harmonia com os demais para a edificação de todos.

Paulo exorta essas duas irmãs a pensarem concordemente no Senhor. Não podemos estar unidos a Cristo e desunidos com os irmãos. Não há comunhão vertical sem comunhão horizontal. A lealdade mútua é fruto da lealdade a Cristo. A irmandade humana é impossível sem o senhorio de Cristo. Ninguém pode estar em paz com Deus e em desavença com os seus irmãos. Por isso, a desunião dos crentes num mundo fragmentado é um escândalo.

J. A. Motyer, comentando esta passagem bíblica, enumera algumas razões pelas quais os crentes devem viver unidos.[400]

A desarmonia é contrária ao sentimento do apóstolo (4.1). Paulo se dirige a toda a igreja, dizendo que os crentes eram a sua alegria e coroa. Ele chama os irmãos de "amados" e "mui saudosos". A divisão na igreja ergue muros onde se deveriam construir pontes; separa aqueles que devem permanecer sempre juntos.

A desarmonia é contrária à fraternidade cristã (4.1). Paulo dirige-se à igreja total, chamando os crentes de "irmãos". Eles pertenciam a uma só família, a um só rebanho, a um só corpo. Portanto, deveriam viver como tal.

A desarmonia é contrária à natureza da igreja (4.3). A igreja deve ser marcada pelo trabalho conjunto, pelo auxílio recíproco e pela esperança futura. Há uma realidade celestial acerca da igreja. O nome dos crentes está escrito no livro da vida, e lá no céu não há divisão. A igreja na terra deve ser uma réplica da igreja do céu. A igreja que seremos deve ensinar a igreja que somos. É contrária à natureza da igreja confessar a unidade no céu e praticar a desunião na terra.[401] Todos os crentes, lavados no sangue do Cordeiro, têm seus nomes escritos no livro da vida e serão introduzidos na cidade santa (Lc 10.17-20; Hb 12.22,23; Ap 3.5; 20.11-15). O fato de irmos morar juntos no céu deveria nos ensinar a viver em harmonia na terra.

A alegria, a marca distintiva do povo de Deus (4.4)

O apóstolo Paulo fala sobre três características da alegria:

Em primeiro lugar, *a alegria é uma ordenança, e não uma opção.* Ser alegre é um mandamento, e não uma recomendação. Deixar de ser alegre é uma desobediência a uma expressa ordem de Deus. O evangelho trouxe alegria, o Reino de Deus é alegria, o fruto do Espírito é alegria, e a ordem de Deus é "alegrai-vos".

Em segundo lugar, *a alegria é ultracircunstancial.* Paulo diz que devemos nos alegrar sempre. Como a vida é um mosaico em que não faltam as cores escuras do sofrimento, nossa alegria não pode depender das circunstâncias. Na verdade, nossa alegria não é ausência de problemas. Não é algo que depende do que está fora de nós. Neste mundo, passamos por muitas aflições, cruzamos vales escuros, atravessamos desertos esbraseados, singramos águas profundas, mas a alegria verdadeira jamais nos falta.

Em terceiro lugar, *a alegria é cristocêntrica.* Nossa alegria é uma pessoa, e não ausência de problemas. Nossa alegria está centrada em Cristo. Quem tem Jesus, experimenta essa verdadeira alegria. Quem não tem Jesus, pode ter momentos de alegria, mas não a alegria verdadeira. Quem tem Jesus, tem a alegria; quem não O tem, jamais a experimentou.

A moderação, a doce razoabilidade a ser demonstrada (4.5)

O apóstolo Paulo fala à igreja sobre a necessidade de cuidarmos das nossas atitudes internas e das nossas reações externas. A moderação tem que ver com o controle do temperamento. Um crente não pode ser uma pessoa explosiva, destemperada e sem domínio próprio. Suas palavras precisam ser temperadas com sal, as suas atitudes precisam edificar as pessoas, e a sua moderação precisa refletir o caráter de Cristo.

A palavra grega para moderação é *epieikeia.* William Hendriksen diz que não há em nossa língua uma única palavra que expresse toda a riqueza contida nesse vocábulo grego.[402] Essa palavra foi usada por Aristóteles para descrever aquilo que não apenas é justo, mas melhor ainda do que a justiça.[403] William Barclay diz que o homem que tem "moderação" é aquele que sabe quando não deve aplicar a letra estrita da lei, quando deve deixar a justiça e introduzir a misericórdia.[404]

Epieikeia é a qualidade do homem que sabe que as leis e prescrições não são a última palavra. Jesus não aplicou a letra da lei em relação à mulher apanhada em flagrante adultério. Ele foi além da justiça. Ele exerceu a misericórdia (Jo 8.1-11). Ralph Martin, nessa mesma trilha de pensamento, escreve:

> Moderação é uma disposição amável e honesta para com outras pessoas, a despeito de suas faltas, disposição essa inspirada na confiança que os crentes têm em que após o sofrimento terreno virá a glória celeste.[405]

Ser uma pessoa moderada é ter o espírito pronto para abrir mão da retaliação quando você é ameaçado ou provado por causa da sua fé. William Hendriksen corretamente afirma:

> A verdadeira bem-aventurança não pode ser alcançada pela pessoa que rigorosamente insiste em seus direitos pessoais. O cristão é aquele que crê ser preferível sofrer a injustiça a cometer a injustiça (1Co 6.7).[406]

Paulo diz que devemos ser moderados porque o Senhor está perto. O advérbio grego *engys* pode significar "perto" quanto a lugar ou quanto a tempo.[407] O Senhor está a nosso lado nas lutas e também em breve virá para defender a nossa causa e nos recompensar. A razão desse espírito pacífico, não-abrasivo, portanto, não é fraqueza, ou o desinteresse em defender a posição legítima de alguém. Essa atitude covarde é condenada (1.27,28). Ao contrário, devemos ser moderados, pois o Senhor virá para defender a nossa causa. Paulo diz: "Perto está o Senhor" (4.5).[408]

A ansiedade, uma doença perigosa (4.6)

A ansiedade é a maior doença do século. De acordo com a Organização Mundial de Saúde, mais de 50% das pessoas que passam pelos hospitais são vítimas da ansiedade. A ansiedade atinge adultos e crianças, doutores e analfabetos, religiosos e ateus. Warren Wiersbe diz que a ansiedade é um pensamento errado e um sentimento errado a respeito das circunstâncias, das pessoas e das coisas.[409] Ralph Martin diz que ansiedade é falta de confiança na proteção e cuidado de Deus.[410]

Várias são as causas da ansiedade:

Em primeiro lugar, *a ansiedade é o resultado de olharmos para os problemas, em vez de olharmos para Deus.* Os crentes de Filipos não estavam vivendo em um paraíso existencial, mas num mundo cercado de perseguições (1.28). O próprio Paulo estava preso, na ante-sala do martírio, com os pés na sepultura. Nuvens pardacentas se formavam sobre sua cabeça. Quando olhamos as circunstâncias e os perigos à nossa volta, em vez de olharmos para o Deus que governa as circunstâncias, ficamos ansiosos.

Em segundo lugar, *a ansiedade é o resultado de relacionamentos quebrados.* As pessoas nos fazem sofrer mais do que as circunstâncias. Nós desapontamos as pessoas, e elas nos desapontam. As pessoas têm a capacidade de roubar a nossa alegria. Há pessoas que carregam uma alma ferida e são prisioneiras da amargura, pois os relacionamentos estão estremecidos (2.1-4; 4.2).

Em terceiro lugar, *a ansiedade é o resultado de uma exagerada preocupação com as coisas materiais* (3.19). Aqueles que só se preocupam com as coisas materiais vivem inquietos e desassossegados. Aqueles que põem a sua confiança no dinheiro, em vez de pô-la em Deus, descobrem que a ansiedade, e não a segurança, é a sua parceira.

Três são os resultados da ansiedade:

Em primeiro lugar, *a ansiedade produz uma estrangulação íntima.* A palavra "ansiedade" traz idéia de estrangulamento. Ficar ansioso é como ser sufocado. É como cortar o oxigênio de uma pessoa e tirar dela a possibilidade de respirar. A ansiedade produz uma fragmentação existencial. A pessoa é rasgada ao meio. Ela produz uma esquizofrenia emocional. A pessoa ansiosa perde o equilíbrio. Warren Wiersbe diz que a palavra "ansiedade" significa ser "puxado em diferentes direções".[411] As nossas esperanças nos puxam em uma direção; os nossos temores nos puxam em direção oposta; assim, ficamos rasgados!

Em segundo lugar, *a ansiedade rouba nossas forças.* Uma pessoa ansiosa normalmente antecipa os problemas. Ela sofre antecipadamente. O problema ainda não aconteceu e ela já está sofrendo. A ansiedade esgota a energia antes de o problema chegar. E quando o problema chega, se chegar, a pessoa já está fragilizada.

Em terceiro lugar, *a ansiedade é uma eloqüente voz da incredulidade.* A ansiedade é a incapacidade de crer que Deus está no controle. A ansiedade ocupa o nosso coração quando tiramos os olhos da majestade de Deus para fixá-los na grandeza dos nossos problemas.

A oração, o remédio divino para a cura da ansiedade (4.6)

Deus não apenas dá uma ordem: "Não andeis ansiosos", mas oferece a solução. Não apenas diagnostica a doença, mas também oferece o remédio. Se a ansiedade é uma doença, a oração é o remédio. William Hendriksen diz que o antídoto adequado para a ansiedade é abrir efusivamente o coração a Deus.[412]

Lidamos com a ansiedade não com livros de auto-ajuda, mas com a ajuda do alto. Triunfamos sobre ela não batendo no peito em uma arrogância ufanista, mas caindo de joelhos e lançando sobre Cristo a nossa ansiedade. Onde a oração prevalece, a ansiedade desaparece. William Barclay corretamente afirma: "Não existe nada demasiadamente grande para o poder de Deus nem demasiadamente pequeno para o Seu cuidado paternal".[413]

O remédio de Deus deve ser usado de acordo com a prescrição divina. Paulo fala sobre três palavras para descrever a oração: oração, súplica e ações de graças. A oração envolve esses três elementos:

Em primeiro lugar, *Paulo diz que precisamos adorar a Deus quando oramos.* A palavra grega *proseuche* é o termo genérico para oração. Essa palavra é um termo geral usado para se referir às petições que fazemos ao Senhor. Tem a conotação de reverência, devoção e adoração. Sempre que nos vemos ansiosos, a primeira coisa a fazer é ficar sozinhos com Deus e adorá-Lo. Precisamos saber que Deus é grande o suficiente para resolver os nossos problemas.[414] A oração começa quando focamos a nossa atenção em Deus, e não em nós mesmos. O ponto culminante da oração é o relacionamento com Deus, mais do que pedir coisas a Deus. Orar é estar em comunhão com o Rei do Universo. Adoramos a Deus por quem Ele é. Em vez de ficarmos ansiosos, devemos meditar na majestade de Deus e descansar nos Seus braços. Se Deus é quem Ele é, e se Ele é o nosso Pai, não precisamos ficar ansiosos.

Em segundo lugar, *Paulo diz que podemos apresentar a Ele as nossas necessidades quando oramos.* A palavra grega *deesis* enfatiza o elemento de petição, a súplica em oração.[415] Devemos apresentar todas as nossas necessidades a Deus em oração, em vez de acumular o peso da ansiedade em nosso coração. O próprio Senhor Jesus nos ensinou: "Pedi, e dar-se-vos-á..." (Mt 7.7) e "... tudo quanto pedirdes em meu nome, eu o farei" (Jo 14.13). Tiago escreveu: "Nada tendes, porque não pedis" (Tg 4.2).

Em terceiro lugar, *Paulo diz que devemos agradecer a Deus quando oramos.* Devemos olhar para o que Deus já fez por nós para não ficarmos ansiosos (Sl 116.7). Todavia, devemos agradecer também o que Deus vai fazer. Deus desbarata os nossos inimigos quando nos voltamos para Ele com ações de graças (2Cr 20.21). O próprio Paulo, quando plantou a igreja em Filipos, foi açoitado e preso. Não obstante a dolorosa circunstância, agradeceu a Deus, cantando louvores na prisão (At 16.25). Quando o profeta Daniel foi vítima de uma orquestração na Babilônia, longe de ficar ansioso, orou a Deus com súplicas e ações de graças (Dn 6.10,11). Daniel foi capaz de passar a noite, em perfeita paz, com os leões, enquanto o rei no seu palácio não conseguiu dormir (Dn 6.18).

A paz de Deus, uma bênção a ser recebida (4.7)

Pela oração, a paz de Deus ocupa o lugar que antes a ansiedade tomava conta. A oração aquieta o nosso interior e muda o mundo ao nosso redor. Por meio dela, nos elevamos a Deus e trazemos o céu à terra. A ansiedade é um pensamento errado e um sentimento errado, por isso a paz de Deus guarda mente e coração. O mesmo coração que estava cheio de ansiedade, pela oração agora está cheio de paz. F. F. Bruce diz que a paz de Deus pode significar não apenas a paz que Ele mesmo concede, mas a serenidade em que o próprio Deus vive: Deus não está sujeito à ansiedade.[416]

O apóstolo destaca três verdades importantes sobre a paz:

Em primeiro lugar, *a paz que recebemos é uma paz divina, e não humana* (4.7). É a paz de Deus. A paz de Deus não é paz de cemitério. Não é ausência de problemas. Essa paz não é produzida por circunstâncias. O mundo não conhece essa paz nem pode dá-la (Jo 14.27). Governos humanos não podem gerar essa paz. Essa paz vem de Deus. Bruce Barton afirma: "A verdadeira paz não é encontrada no pensamento positivo, na ausência de conflito, ou em bons sentimentos; ela procede do fato de saber que Deus está no controle".[417]

Em segundo lugar, *a paz de Deus transcende a compreensão humana* (4.7). Essa paz é transcendente. Ela vai além da compreensão humana. A despeito da tempestade do lado de fora, podemos desfrutar bonança do lado dentro. Ela coexiste com a dor, com as lágrimas, com o luto e com a própria morte. Essa é a paz que os mártires sentiram diante do suplício e da morte. Essa é a paz que Paulo sentiu ao caminhar para a guilhotina, dizendo: "A hora da minha partida é chegada. Combati o bom combate, completei a carreira e guardei a fé. Agora, a coroa da justiça me está guardada..." (2Tm 4.6-8).

Em terceiro lugar, *a paz de Deus é uma sentinela celestial ao nosso redor* (4.7). A palavra grega *frourein* é um termo militar para estar em guarda.[418] Assim, "guardar" traz a idéia de uma sentinela, um soldado na torre de vigia, protegendo a cidade. A paz de Deus é como um exército protegendo-nos dos problemas externos e dos temores internos. Paulo diz que essa paz guarda os nossos corações (sentimentos errados) e nossas mentes (pensamentos errados), as nossas emoções e a nossa razão. William Hendriksen, comentando este texto, escreve:

> Os filipenses estavam acostumados a ver as sentinelas romanas montarem guarda. Assim também, se bem que em um sentido muitíssimo mais profundo, a paz de Deus montará guarda à porta do coração e da mente. Ela impedirá que a torturante angústia corroa o coração, que é o manancial da vida (Pv 4.23), a fonte do pensamento (Rm 1.21), da vontade (1Co 7.37) e do sentimento (1.7). O homem de fé e oração tem-se refugiado naquela inexpugnável cidadela da qual ninguém jamais poderá arrancá-lo; e o nome dessa fortaleza é Jesus Cristo.[419]

Ralph Martin comenta que o uso que Paulo faz de um verbo militar demonstra que ele está pensando na segurança da igreja, e seus membros, num ambiente hostil, cercados de inimigos.[420]

O pensamento, uma área estratégica a ser guardada (4.8)

Pensamentos errados levam a comportamento errado, e comportamento errado leva a sentimento errado. Por isso, devemos levar todo pensamento cativo à obediência de Cristo (2Co 10.5). As nossas maiores batalhas são travadas no campo da mente. Nessa trincheira, a guerra é ganha ou perdida. O homem é aquilo que ele pensa. Precisamos fechar os portais da nossa mente para o que é vil e abrir as suas janelas para o que é verdadeiro, justo, amável e de boa fama. Precisamos jogar para o sacrário da nossa mente o que é elevado e esvaziar todos os porões da nossa mente de tudo aquilo que é impróprio.

Somos aquilo que registramos em nossa mente. Se arquivarmos em nossa mente coisas boas, de lá tiraremos tesouros preciosos, mas se tudo o que depositamos são coisas malsãs, não poderemos tirar dela o que é proveitoso. Paulo faz uma lista do que que deve ocupar os nossos pensamentos:

Em primeiro lugar, *tudo o que é verdadeiro*. A palavra grega *alethe* pode significar "verdade" em oposição àquilo que é irreal, insubstancial, ou "verdade" em oposição à falsidade.[421] Noventa e dois por cento de tudo aquilo que ocupa a mente das pessoas, levando-as à ansiedade, são coisas imaginárias que nunca aconteceram ou envolvem questões fora do controle das pessoas.[422] F. F. Bruce diz que a ordem de Paulo poderia tratar-se de uma advertência contra a indulgência mental em fantasias ou difamações infundadas. Tudo o que é verdadeiro, aqui, possui as qualidades morais de retidão e confiança, de realidade em contraposição à mera aparência.[423]

Em segundo lugar, *tudo o que é respeitável*. A palavra grega é *semnos* e traz a idéia de alguém que vive neste mundo com uma profunda consciência de que o Universo inteiro é um santuário e tudo o que ele faz deve ser um culto a Deus. A mente que se concentra em assuntos desonestos corre o perigo de tornar-se desonesta. Honestidade é o contrário da duplicidade de caráter que avilta a moral, sendo incompatível com a mente de Cristo.[424] Os crentes devem ser dignos e sinceros tanto em suas palavras quanto em seu comportamento. O decoro nas conversações, nos costumes e na moral é muito importante, diz William Hendriksen.[425]

Em terceiro lugar, *tudo o que é justo.* A palavra grega *dikaios* enfatiza aqui uma correta relação com Deus e com os homens. Tendo recebido de Deus tanto a justiça imputada quanto a comunicada, os crentes devem pensar com retidão, diz Hendriksen.[426] William Barclay diz que essa é a palavra do dever assumido e do dever cumprido.[427] O reverso disso encontramos no homem iníquo que "maquina o mal na sua cama", a fim de executá-lo depois, à luz do dia (Am 8.4-6).

Em quarto lugar, *tudo o que é puro.* A palavra grega *hagnos* descreve o que é moralmente puro e livre de manchas. Ritualmente descreve algo purificado de tal maneira que se faz apto para ser oferecido a Deus e usado em seu serviço.[428] Pureza de pensamento e de propósito é condição preliminar indispensável para a pureza na palavra e na ação, diz F. F. Bruce.[429]

Em quinto lugar, *tudo o que é amável.* A palavra grega *prosphiles* traz o significado de agradável, aquilo que suscita amor. Trata-se de algo que se auto-recomenda pela atração e encanto intrínsecos. São aquelas coisas que proporcionam prazer a todos, não causando dissabor a ninguém, à semelhança de uma fragrância preciosa, diz F. F. Bruce.[430]

Em sexto lugar, *tudo o que é de boa fama*. A palavra grega *euphemos* significa literalmente "falar favoravelmente". No mundo, há demasiadas palavras torpes, falsas e impuras. Nos lábios do cristão e em sua mente, devem existir somente palavras que são adequadas para ser ouvidas por Deus.[431]

Em sétimo lugar, *se alguma virtude há e se algum louvor existe, seja isso que ocupe o vosso pensamento*. Ao invés de continuar sua seleção, Paulo resume, agora: "se alguma virtude há", do grego *arete*, cujo significado é "virtude moral", e "se algum louvor existe", do grego *epainos*, "aquilo que merece louvor ou que inspira a aprovação divina". Ambos os termos descrevem as qualidades que devem marcar as atitudes e ações dos crentes.[432]

A prática, a evidência de uma vida autêntica (4.9)

Warren Wiersbe diz que não é possível separar atos exteriores de atitudes interiores.[433] Há uma íntima conexão entre "Seja isso que ocupe o vosso pensamento" (4.8) e "praticai" (4.9). A dinâmica do cristianismo deriva-se da união desses dois imperativos. Tais imperativos estão corporificados na coleção de qualidades éticas (4.8), nas tradições apostólicas (4.9a) e nos ensinos exemplificados na própria vida de Paulo (4.9b).[434]

Paulo considera quatro atividades: aprender, receber, ouvir e ver. Uma coisa é aprender a verdade, e outra, bem diferente, é recebê-la e assimilá-la. Não basta ter fatos na cabeça; é preciso ter verdade no coração. Ao longo do seu ministério, Paulo não apenas ensinou a Palavra, mas também a viveu na prática para que os seus ouvintes pudessem vê-la em sua vida.[435] Há uma íntima relação entre a palavra e a pessoa que a pronuncia.

O apóstolo Paulo conclui esse parágrafo falando da necessidade de praticar o que se aprendeu. Acumular conhecimento sem o exercício da vida cristã não nos torna crentes maduros. Precisamos ter olhos abertos para ver, ouvidos atentos para aprender e disposição para praticar o que aprendemos.

Paulo, igualmente, mostra que devemos ser criteriosos acerca dos nossos modelos. Não devemos imitar os falsos mestres. Não devemos seguir as pegadas dos que vivem desregradamente nem seguir o exemplo dos que vivem buscando os seus próprios interesses. Ao contrário, Paulo se apresenta como exemplo para os crentes de Filipos (3.17; 4.9). Paulo entende que o exemplo pessoal é parte essencial do ensino. O mestre deve praticar a doutrina que professa e demonstrar em ação a verdade que expressa em palavras.[436]

A conclusão do apóstolo Paulo é majestosa. Além de termos a paz de Deus para nos guardar, agora temos o Deus da paz para nos guiar. Não apenas temos uma harmonia bendita em lugar da ansiedade, mas temos também a companhia divina na caminhada.

Corretamente Bruce Barton diz que muitas pessoas hoje procuram ter paz com Deus sem ter um relacionamento com Deus, que é o autor da verdadeira paz. Isso, porém, é impossível. Para experimentar a paz, precisamos primeiro conhecer o Deus da paz.[437]

NOTAS DO CAPÍTULO 11

[392] BARCLAY, William. *Filipenses, Colosenses, I y II Tesalonicenses*, 1973: p. 80.

[393] MARTIN, Ralph P. *Filipenses: Introdução e comentário*, 1985: p. 166.

[394] ROBERTSON, A. T. *Paul's joy in Christ: Studies in Philippians*, 1917: p. 226.

[395] BARCLAY, William. *Filipenses, Colosenses, I y II Tesalonicenses*, 1973: p. 80.

[396] HENDRIKSEN, William. *Efésios e Filipenses*, 2005: p. 575.

[397] BARTON, Bruce B. et all. *Life application Bible commentary on Philippians*, 1995: p. 109.

[398] ROBERTSON, A. T. *Paul's joy in Christ: Studies in Philippians*, 1917: p. 228.

[399] BRUCE, F. F. *Filipenses*, 1992: p. 148.

[400] MOTYER, J. A. *The message of Philippians*, 1991: p. 199-203.

[401] MOTYER, J. A. *The message of Philippians*, 1991: p. 202.

[402] HENDRIKSEN, William. *Efésios e Filipenses*, 2005: p. 579.

[403] BRUCE, F. F. *Filipenses*, 1992: p. 154.

[404] BARCLAY, William. *Filipenses, Colosenses, I y II Tesalonicenses*, 1973: p. 85.

[405] MARTIN, Ralph P. *Filipenses: Introdução e comentário*, 1985: p. 169.

[406] HENDRIKSEN, William. *Efésios e Filipenses*, 2005: p. 579.

[407] BRUCE, F. F. *Filipenses*, 1992: p. 154.

[408] MARTIN, Ralph P. *Filipenses: Introdução e comentário*, 1985: p. 169.

[409] WIERSBE, Warren W. *Comentário bíblico expositivo.* Vol. 6, 2006: p. 123.

[410] MARTIN, Ralph P. *Filipenses: Introdução e comentário*, 1985: p. 170.

[411] WIERSBE, Warren W. *Comentário bíblico expositivo.* Vol. 6, 2006: p. 123.

[412] HENDRIKSEN, William. *Efésios e Filipenses*, 2005: p. 581.

[413] BARCLAY, William. *Filipenses, Colosenses, I y II Tesalonicenses*, 1973: p. 87.

[414] WIERSBE, Warren W. *Comentário bíblico expositivo.* Vol. 6, 2006: p. 124.

[415] Bruce, F. F. *Filipenses*, 1992: p. 154.
[416] Bruce, F. F. *Filipenses*, 1992: p. 154.
[417] Barton, Bruce B. et all. *Life application Bible commentary on Philippians*, 1991: p. 116.
[418] Barclay, William. *Filipenses, Colosenses, I y II Tesalonicenses*, 1973: p. 88.
[419] Hendriksen, William. *Efésios e Filipenses*, 2005: p. 584.
[420] Martin, Ralph P. *Filipenses: Introdução e comentário*, 1985: p. 171.
[421] Martin, Ralph P. *Filipenses: Introdução e comentário*, 1985: p. 173.
[422] Wiersbe, Warren W. *Comentário bíblico expositivo*. Vol. 6, 2006: p. 125.
[423] Bruce, F. F. *Filipenses*, 1992: p. 155.
[424] Bruce, F. F. *Filipenses*, 1992: p. 155.
[425] Hendriksen, William. *Efésios e Filipenses*, 2005: p. 585.
[426] Hendriksen, William. *Efésios e Filipenses*, 2005: p. 586.
[427] Barclay, William. *Filipenses, Colosenses, I y II Tesalonicenses*, 1973: p. 89.
[428] Barclay, William. *Filipenses, Colosenses, I y II Tesalonicenses*, 1973: p. 89.
[429] Bruce, F. F. *Filipenses*, 1992: p. 155.
[430] Bruce, F. F. *Filipenses*, 1992: p. 156.
[431] Barclay, William. *Filipenses, Colosenses, I y II Tesalonicenses*, 1973: p. 90.
[432] Martin, Ralph P. *Filipenses: Introdução e comentário*, 1985: p. 173.
[433] Wiersbe, Warren W. *Comentário bíblico expositivo*. Vol. 6, 2006: p. 125.
[434] Martin, Ralph P. *Filipenses: Introdução e comentário*, 1985: p. 172.
[435] Wiersbe, Warren W. *Comentário bíblico expositivo*. Vol. 6, 2006: p. 125.
[436] Barclay, William. *Filipenses, Colosenses, I y II Tesalonicenses*, 1973: p. 91.
[437] Barton, Bruce B. et all. *Life application Bible commentary on Philippians*, 1991: p. 119.

Capítulo 12

A obra missionária precisa de parceria

(Fp 4.10-23)

O propósito desta seção é claro: agradecer a dádiva que Epafrodito (2.25-30) trouxe ao apóstolo Paulo em Roma (4.18).[438] É nesta parte da carta que Paulo chega a uma das principais razões por que está escrevendo: expressar sua gratidão pela oferta que Epafrodito lhe trouxera da igreja de Filipos. O apóstolo a reservou para o fim com o objetivo de dar-lhe ênfase.[439]

Nesse tributo de gratidão, Paulo dá um belo testemunho de sua relação com a igreja de Filipos na realização da obra missionária. Destacamos, aqui, dois pontos:

Em primeiro lugar, *a cooperação é o melhor caminho para a realização da obra missionária* (4.14). Paulo não poderia levar a cabo tudo o que fez sem o apoio e a ajuda da igreja de Filipos. Essa igreja deu-lhe suporte financeiro e sustentação espiritual. Aqueles que estão na linha de frente precisam ser encorajados pelos que ficam na retaguarda: "... porque qual é a parte dos que desceram à peleja, tal será a parte dos que ficaram com a bagagem; receberão partes iguais" (1Sm 30.24). Deus chama uns para irem ao campo missionário e aos demais para sustentar aqueles que vão.

A obra missionária é um trabalho que exige um esforço conjunto da igreja e dos missionários. Neste texto, vemos claramente como essa parceria funciona.

Em segundo lugar, *o missionário precisa estar vinculado a uma igreja, e a igreja precisa estar comprometida com o missionário.* A relação de Paulo com a igreja de Filipos era de parceria. Paulo estava ligado à igreja, e a igreja o apoiava. Havia uma troca abençoadora entre o obreiro no campo e os crentes na base. A igreja não apenas enviava ofertas ao missionário, mas estava efetivamente envolvida com ele.

A falta de vínculo entre o missionário e a igreja local é um dos grandes problemas da missiologia moderna. As agências missionárias precisaram assumir o papel das igrejas. Os missionários vão para os campos, mas perdem o contato com as igrejas. As igrejas enviam ofertas aos missionários, mas não se envolvem com eles no sentido de dar e receber. Assim, os missionários ficam solitários nos campos, e as igrejas, alheias aos resultados que acontecem nos campos. Falta aos missionários o encorajamento das igrejas, e, às igrejas, as informações dos missionários.

A responsabilidade da igreja com os missionários

Há cinco áreas importantes acerca da responsabilidade da igreja em relação aos missionários:

Em primeiro lugar, *sustento financeiro sistemático* (4.10,17). A igreja precisa cuidar do obreiro, e não apenas da obra. A igreja demonstra cuidado com o obreiro à medida que lhe dá suporte financeiro para realizar a obra. Todos os recursos para a realização da obra de Deus já foram providenciados; estão nas mãos dos crentes.

Paulo não recebeu salário de algumas igrejas para proteger-se dos críticos de plantão que tentavam distorcer suas motivações e atacar o seu apostolado. De outro lado, algumas igrejas, como a igreja de Corinto, deixaram de pagar o que lhe era devido, precisando das igrejas da Macedônia, inclusive da igreja de Filipos, enviar-lhe sustento enquanto ele trabalhava em Corinto (2Co 8.8,9; 12.13). De forma particular, a igreja de Filipos deu suporte financeiro a Paulo, mesmo quando estava ainda na região da Macedônia, no início do processo de evangelização da Europa (4.16).

A igreja de Filipos jamais teve falta de interesse em ajudar o apóstolo; teve, sim, circunstâncias desfavoráveis para fazê-lo. Hoje, muitas igrejas têm oportunidade para ajudar os missionários, mas lhes falta interesse.

A sustentação financeira aos missionários precisa ser sistemática, pois as necessidades dos obreiros são diárias. Não é suficiente enviar ofertas esporádicas. A contribuição precisa ser metódica, suficiente e contínua.

Em segundo lugar, *sustento espiritual nas tribulações* (4.14). A igreja de Filipos não apenas enviava dinheiro para Paulo, mas também consolo. Ela não apenas supria as suas necessidades físicas, mas também emocionais e espirituais. Os filipenses renovaram sua bondade de dois modos: ajudando o apóstolo financeiramente e partilhando sua aflição.[440] Era uma igreja que contribuía para a obra missionária não apenas por um desencargo de consciência, mas, sobretudo, por um profundo gesto de amor ao missionário. A igreja de Filipos enviou Epafrodito não apenas com uma oferta, mas como a oferta para Paulo.

A expressão grega *synkoinoneim,* "associando-se", significa associar-se não somente a Paulo como indivíduo, mas, sobretudo, associar-se em sua obra apostólica.[441] A igreja era parceria do apóstolo e também da obra. A igreja se importava com o obreiro e também com a obra.

Em terceiro lugar, *reciprocidade na relação com o obreiro* (4.15). A igreja de Filipos tinha um lugar especial na vida de Paulo. Desde o início, ela se tornou parceria do apóstolo e continuou assim até o final. Era uma igreja constante no seu compromisso com Deus e com o apóstolo. Há igrejas que têm picos de entusiasmo pela obra missionária por um tempo, fazem conferências especiais, enviam o pastor para congressos missionários e fazem levantamento de provisão para os obreiros que estão no campo, mas depois abandonam essa trincheira e abraçam outras prioridades. A igreja de Filipos era uma igreja fiel no seu envolvimento e engajamento com o missionário e com a obra missionária.

A relação da igreja com o apóstolo era uma avenida de mão dupla. Ela dava e recebia. Ela investia bens financeiros e recebia benefícios espirituais (1Co 9.11; Rm 15.27). Ela investia riquezas materiais e recebia riquezas espirituais. De Paulo, a igreja recebia bênçãos espirituais; da igreja, Paulo recebia bênçãos materiais. Ela ministrava amor ao apóstolo e recebia dele gratidão.

Em quarto lugar, *faz das ofertas ao missionário um sacrifício vivo a Deus* (4.18). A igreja de Filipos não ofertava com pesar nem por constrangimento. Ela fazia da oferta ao apóstolo um culto a Deus. Ela enviava o sustento de Paulo com alegria tal como se estivesse oferecendo a Deus um sacrifício aceitável e aprazível. A contribuição missionária era um ritual de consagração, um tributo de louvor a Deus feito com efusiva alegria e uma liturgia que subia ao céu como um aroma suave e agradável a Deus.

William Barclay diz que o apóstolo usa palavras que fazem do dom dos filipenses não um presente para Paulo, mas um sacrifício para Deus. A alegria de Paulo em receber oferta não está no que esta significava para ele, mas no que significava para eles. Não que Paulo deixasse de apreciar o valor do dom a seu favor, nem que ele desestimulasse o que eles faziam por ele; mas o que mais o alegrava é que esse mesmo dom era uma oferta agradável a Deus.[442]

William Hendriksen, comentando esta passagem, escreve:

> Paulo não poderia ter tributado melhor louvor aos doadores. Os donativos são "aroma de suave perfume", uma oferenda apresentada a Deus, grata e muito agradável a ele. São comparáveis à oferta de gratidão de Abel (Gn 4.4), de Noé (Gn 8.21), dos israelitas quando no estado de ânimo correto apresentavam seus holocaustos (Lv 1.9,13,17) e dos crentes em geral ao dedicar suas vidas a Deus (2Co 2.15,16), como fez Cristo, ainda que de uma maneira única (Ef 5.2).[443]

Em quinto lugar, *faz ofertas não das sobras, mas apesar das necessidades* (4.19). A igreja de Filipos tinha o coração maior do que o bolso. Eles davam não do que sobejava, mas das suas próprias necessidades. Ofertavam sacrificialmente. Eram pobres, mas enriqueciam muitos. Nada tinham, mas possuíam tudo. Olhavam a contribuição não como um peso, mas como uma graça, como um dom imerecido de Deus (2Co 8.1). Não apenas davam com generosidade, mas também com sacrifício (2Co 8.2), pois ofertavam não apenas segundo suas posses, mas voluntariamente ofertavam acima delas (2Co 8.3). Eles ofertavam não apenas para Paulo, o plantador da igreja, mas também para irmãos pobres que eles jamais tinham visto (2Co 8.4). Eles deram não apenas dinheiro, mas eles mesmos (2Co 8.5).

William Barclay corretamente afirma que nenhuma dádiva faz o doador mais pobre. A riqueza divina está aberta para os que amam a Deus e ao próximo. O doador não se faz mais pobre, senão mais rico, pois seu próprio dom é a chave que lhe abre os dons e as riquezas de Deus.[444]

A atitude dos missionários em relação à igreja

Há sete atitudes dos missionários em relação à igreja que queremos destacar no texto:

Em primeiro lugar, *gratidão pelo sustento recebido da igreja* (4.10). O missionário precisa aprender a depender de Deus e demonstrar gratidão por aqueles que Deus levanta para cuidar de suas necessidades. Paulo escreve esta carta para registrar o seu tributo de gratidão a essa igreja que foi sua parceira no ministério até o final da sua vida.

É importante destacar que Paulo põe toda a ênfase de sua alegria *no Senhor*, e não na generosidade dos filipenses.[445] Ele sabia que os crentes de Filipos eram apenas os instrumentos, mas que o Senhor era o inspirador. Paulo tinha profunda consciência de que a providência de Deus, às vezes, opera por meio das pessoas. Assim, Deus supriu suas necessidades por intermédio da igreja. Ele agradece à igreja a provisão, mas sua alegria está no provedor.

A gratidão é uma atitude que traz alegria para quem a manifesta e para quem a recebe. Paulo era um homem pródigo em elogios. Ele sabia reconhecer o valor das pessoas, o trabalho delas e, sobretudo, a generosidade com que era tratado por elas. Ele tornava isso conhecido diante de Deus e dos homens. Precisamos desenvolver essa atitude no seio da igreja.

Em segundo lugar, *contentamento ultracircunstancial* (4.11,12). Muito embora Paulo julgasse legítimo receber sustento das igrejas (1Co 9.4-10), decidiu não usufruir esse direito (1Co 9.12; 2Ts 3.9). Desta forma, em alguns lugares, precisou trabalhar para suprir as suas próprias necessidades (1Ts 2.7-9). Com isso, aprendeu a viver contente em toda e qualquer situação. A vida de Paulo não floresceu num paraíso de arrebatadoras venturas. Ele passou por grandes necessidades. Sabia o que era fome, sede, frio, nudez, prisão, açoites, tortura mental e perseguições.

William Hendriksen corretamente comenta que Paulo não é nenhum presunçoso para proclamar: "Eu sou o capitão de minha alma". Tampouco é um estóico que, confiando em seus próprios recursos, e supostamente imperturbável ante o prazer e a dor, busque suportar sem queixa sua irremediável necessidade. O apóstolo não é uma estátua. Ele é um homem de carne e osso. Já teve experiências de alegrias e aflições, mas na urdidura dessa luta aprendeu a viver contente. Seu contentamento, porém, não emanava dele mesmo, mas de outro, além de si mesmo. Seu contentamento vinha de Deus![446]

O contentamento é um aprendizado, e não algo automático, diz o apóstolo. A palavra grega que Paulo usa, *memyemai,* "ter experiência" (4.12), era usada para a iniciação dos cultos de mistério. F. F. Bruce diz que da raiz *my* e deste verbo *myein* deriva-se *mysterion,* "mistério".[447] O aprendizado do contentamento cristão, porém, não se dá por meio de um ritual místico, mas pelo exercício da confiança na providência divina.

Bruce Barton afirma que os bens materiais devem ser vistos sempre como dons de Deus e nunca como substitutos de Deus.[448] Nosso contentamento deve estar em Deus mais do que nas dádivas de Deus. O contentamento de Paulo não está em coisas ou circunstâncias. A base do seu contentamento é Cristo, e não o dinheiro. Para ele, o *ser* é mais importante do que o *ter.* Humilhação ou honra, fartura ou fome, abundância ou escassez eram situações vividas por ele, mas no meio delas, e apesar delas, aprendeu a viver contente, pois a razão do seu contentamento estava em Deus, e não nas circunstâncias.

A palavra grega *autarkes,* "contente" (4.11), é uma das mais importantes da ética pagã. Esta *autarkeia* (auto-suficiência) era a maior aspiração da ética estóica. Para os estóicos, *autarkeia* significava uma situação espiritual em que o homem era absoluta e inteiramente independente de tudo e de todos; um estado em que o homem aprendia por si mesmo a não necessitar de nada nem de ninguém. Os estóicos propunham alcançar essa auto-suficiência eliminando todo desejo e toda emoção. Paulo, porém, não era um estóico, mas um cristão. Para o estóico, o contentamento era uma conquista humana; para Paulo, um dom divino. O estóico era auto-suficiente; Paulo encontrava a sua suficiência em Deus.[449]

Nessa mesma linha de pensamento, Ralph Martin diz que *autarkeia* descrevia a independência de uma pessoa quanto a coisas materiais. Era uma asserção de auto-suficiência. Era a virtude fundamental, na vida moral dos estóicos. Paulo tomou emprestada essa palavra e a transformou em algo totalmente diferente, pois o homem "auto-suficiente" estóico enfrenta a vida e a morte com recursos encontrados dentro de si mesmo. Paulo, porém, encontra o segredo da vida em Cristo (1.21; 4.13).[450] F. F. Bruce diz que Paulo empregou a palavra *autarkeia* a fim de expressar a sua independência das circunstâncias externas. Estava sempre consciente de sua total dependência de Deus. O apóstolo era mais "suficiente em Deus" que auto-suficiente. O próprio apóstolo escreveu: "... a nossa suficiência vem de Deus" (2Co 3.5).[451]

Warren Wiersbe, expondo este texto, diz que Paulo era um termostato, e não um termômetro. Um termômetro não muda coisa alguma, apenas registra a temperatura. Um termômetro não tem o poder de mudar as coisas, ele se deixa afetar por elas. Está sempre descendo ou subindo de acordo com a temperatura. Mas um termostato regula a temperatura do ambiente em que se encontra e faz as alterações necessárias. Paulo era um termostato, pois, em vez de ter altos e baixos espirituais de acordo com a mudança das situações, ele aprendera a viver contente apesar das situações. Ele não era uma vítima das circunstâncias, mas um vitorioso sobre elas.[452]

Em terceiro lugar, *confiança inabalável em Cristo* (4.13). Paulo está preso, na sala de espera do martírio, com um pé na sepultura, caminhando para uma condenação inexorável, mas, longe de ser um caniço agitado pelo vento, ergue-se como uma rocha que, mesmo fustigada pelo vendaval da adversidade, permanece firme e imperturbável. "Tudo posso naquele que me fortalece" (4.13). H. C. Moule está certo quando diz que a expressão "eu tenho forças para fazer todas as coisas", obviamente, não significa todas as coisas no sentido pleno; Paulo não se tornara onipotente. Paulo não pode tudo; ele pode todas as coisas dentro da vontade de Deus. Ele pode todas as coisas em Cristo, e não à parte de Cristo.[453]

J. A. Motyer diz que o versículo 13 refere-se a dois tipos de poder. De um lado, há o poder que Paulo experimenta nas circunstâncias adversas da vida. Esse é o poder da vitória sobre as demandas de cada dia. Contudo, esse poder ergue-se de outra fonte, não inerente em Paulo, mas derivado de alguém. Paulo tem esse poder diário para enfrentar as necessidades diárias, pois Jesus infundiu nele seu poder (*dynamis*). Paulo somente está habilitado a enfrentar todas as circunstâncias porque Jesus é quem o fortalece.[454]

A razão da fortaleza do apóstolo Paulo não é a sua idade, a sua força, o seu conhecimento, a sua influência ou os seus ricos dons e talentos, mas Cristo. Ele tudo pode porque o todo-poderoso Filho de Deus é quem o fortalece. Ele é como uma máquina ligada na fonte de energia, a força do seu trabalho vem não dele mesmo, mas do poder que vem de Cristo.

Em quarto lugar, *maior interesse no bem espiritual dos crentes do que no dinheiro deles* (4.17). A maior alegria de Paulo não era receber o donativo enviado pela igreja, mas saber que os dividendos espirituais da igreja aumentaram por conta da sua generosidade. Paulo manteve a tônica dessa carta: os interesses do *outro* vêm antes dos interesses do *eu*.

F. F. Bruce corretamente afirma que o apóstolo enfatiza que sente gratidão não apenas porque eles lhe enviaram uma oferta, mas, também, porque esse enviar serviu de sinal da graça celestial na vida deles. Usando uma figura de linguagem, seria um depósito que efetuaram no banco celeste, que se multiplicaria a juros compostos, para benefício deles mesmos. O objetivo dos filipenses fora que sua generosidade tivesse Paulo como alvo, e isso, de fato, aconteceu; todavia, no âmbito espiritual, o lucro permanente pertence aos filipenses.[455]

Ralph Martin, na mesma linha de raciocínio, diz que esse versículo está cheio de termos comerciais. "...procure o donativo" talvez seja um termo técnico para a exigência de pagamento de juros. Já a palavra "fruto" é lucro ou juros. A expressão grega *pleonazein,* "que aumente", é um termo bancário regular para crescimento financeiro; "vosso crédito" significa conta. Assim, a sentença toda é um jogo de palavras que procura exprimir a esperança de Paulo, num jargão comercial: "aguardo os juros que serão creditados em vossa conta", de tal forma que Paulo, no último dia, estará satisfeito com os seus investimentos em Filipos.[456]

Quando ofertamos, nos beneficiamos a nós mesmos na mesma medida em que socorremos os necessitados (2Co 9.10-15). Quem dá ao pobre, a Deus empresta. Quem semeia com abundância, com abundância também ceifará (2Co 9.7). O texto bíblico de Hebreus 6.10 diz: "Porque Deus não é injusto para ficar esquecido do vosso trabalho e do amor que evidenciastes para com o seu nome, pois servistes e ainda servis aos santos". O doador enriquece as duas pessoas: a que recebe e a si próprio. Nessa mesma trilha de pensamento, William Hendriksen diz que o donativo era realmente um investimento que entrava como crédito na conta dos filipenses, um investimento que lhes acresce paulatinamente ricos dividendos.[457] A Palavra de Deus é enfática em afirmar que um donativo feito de modo correto sempre enriquece o doador. "A alma generosa prosperará" (Pv 11.25). "Quem se compadece do pobre ao Senhor empresta" (Pv 19.17). "Mais bem-aventurado é dar que receber" (At 20.35).

Hoje, muitos obreiros, pastores e missionários estão atrás do dinheiro do povo, e não interessados na alma do povo (2Co 12.14-18). São obreiros fraudulentos e gananciosos que usam toda sorte de esperteza para explorar o povo, em vez de apascentar o povo. São pastores de si mesmos, e não do rebanho de Deus. São exploradores das ovelhas, e não pastores das ovelhas. São mercenários, e não missionários.

Em quinto lugar, *recebe os donativos da igreja com reverência cúltica* (4.18). Agora, o apóstolo Paulo deixa de lado a linguagem da contabilidade e apela para as expressões do culto.[458] Paulo recebe o donativo da igreja com tal reverência que ele vê nessas ofertas da igreja um sacrifício agradável e suave a Deus. Ele entende que, antes dos irmãos filipenses lhe terem enviado esse sustento a Roma, essas ofertas subiram como aroma suave aos céus; antes de elas serem dadas a ele, foram consagradas a Deus. As palavras "aceitável e aprazível a Deus" são termos cúlticos, associados ao sistema sacrificial veterotestamentário.[459]

Werner de Boor nesse mesmo raciocínio diz que Paulo está profundamente imbuído de que o donativo que o "preenche" na realidade foi feito a Deus. Afinal, um "sacrifício" nunca é ofertado a pessoas, mas somente a Deus.[460]

Warren Wiersbe, comentando sobre o significado espiritual da oferta enviada pela igreja de Filipos, diz que Paulo faz três comparações: Primeiro, a compara a uma árvore brotando (4.10). O termo traduzido "renovar" refere-se a uma flor abrindo-se ou a uma árvore brotando ou florescendo. Muitas vezes, passamos por invernos espirituais, mas, quando chega a primavera, as bênçãos e a vida se renovam. Segundo, Paulo a compara a um investimento (4.14-17). Esse investimento era muito lucrativo para a igreja. A igreja associou-se a Paulo e, nesse acordo, deu riquezas materiais a Paulo e recebeu riquezas espirituais do Senhor. É o Senhor quem cuida da contabilidade e jamais sonegará dividendos espirituais. Terceiro, Paulo a compara a um sacrifício (4.18). É um sacrifício espiritual colocado no altar para a glória de Deus.[461]

Em sexto lugar, *retribui o socorro financeiro da igreja em fervorosa intercessão* (4.19). Um missionário não é apenas alguém que prega, mas, sobretudo, alguém que ora. Paulo sabe que a igreja lhe enviou uma oferta da sua pobreza, mas Deus recompensará a igreja com sua riqueza em glória. A igreja supriu a necessidade financeira e emocional do apóstolo, mas Deus há de suprir todas as necessidades da igreja.

É importante enfatizar que Deus supre não a nossa ganância nem mesmo os nossos desejos, mas as nossas necessidades. James Hunter, em seu livro *O monge e o executivo,* diz que precisamos distinguir desejos de necessidades. A provisão divina contempla as nossas necessidades, e não os nossos desejos. Bruce Barton escreve:

> Nós precisamos lembrar a diferença entre desejos e necessidades. A maioria das pessoas deseja sentir-se bem e evitar a todo custo o desconforto e a dor. Poderemos não conseguir tudo o que desejamos, mas Deus proverá para nós tudo aquilo de que necessitamos. Confiando em Cristo, as nossas atitudes e desejos podem mudar. E, em vez de desejarmos todas as coisas, aceitaremos a Sua provisão e poder para viver para Ele.[462]

Hudson Taylor costumava dizer: "Quando a obra de Deus é realizada à maneira de Deus e para a glória de Deus, nunca faltará a provisão de Deus".

Em sétimo lugar, *reconhece que o fim último da vida é a glória de Deus* (4.20). Para Paulo, a doutrina nunca é uma matéria árida. Sempre que ocupa a sua mente, também enche o seu coração de louvor.[463] Paulo é um homem que faz da vida uma doxologia constante. A sua teologia governa as suas atitudes. Ele prega o que vive e vive o que prega. A sua vida está centrada em Deus, e não nele mesmo. Não busca glória pessoal. Não constrói monumentos a si mesmo. Não busca as luzes da ribalta nem procura os holofotes do sucesso. Vive com os pés na terra, mas com o coração no céu. Fecha as cortinas da sua vida proclamando a verdade central das Escrituras: a glória de Deus é o grande vetor da vida humana.

Paulo conclui essa carta magna da alegria, esse monumento formoso da providência divina, como um pastor que se lembra de cada uma das suas ovelhas (4.21) e invoca sobre elas a graça do Senhor Jesus (4.23). E, também, como um evangelista que dá relatórios dos milagres da pregação do evangelho, cujos frutos são vistos até mesmo na casa de César (4.22). Essa expressão não se refere necessariamente aos familiares ou parentes do imperador, mas a todas as pessoas que estavam a seu serviço nos departamentos domésticos e administrativos da casa imperial.[464] Esses membros da casa de César eram pessoas convertidas, possivelmente, por intermédio do apóstolo durante a sua prisão em Roma. Assim, Paulo transformou a sua prisão em um campo missionário, e os frutos apareceram mesmo entre algemas. Esse fato nos ensina que não é o lugar que faz a pessoa, mas é a pessoa que faz o lugar. Ensina-nos, outrossim, que no Reino de Deus não existe lata de lixo, ou seja, não há vida irrecuperável. Há santos até mesmo na casa de César. Esse era um lugar de traições, opressão e violência. Muitos poderiam pensar que o evangelho jamais entraria nessa casa. Todavia, Paulo teve o privilégio de ganhar pessoas para Cristo ali, mesmo estando preso e algemado. Finalmente, nos ensina que as oportunidades estão ao nosso redor. Paulo poderia esperar a sua liberdade para depois continuar seu trabalho missionário. Entretanto, ele entendeu que a prisão também era um campo missionário. Ele aproveitou as oportunidades, e os frutos surgiram mesmo na cadeia.

William Hendriksen apresenta esta bendita verdade assim:

> Ainda mais importante é o fato de que o cristianismo penetrara até mesmo nos círculos desses servidores palacianos. Sua posição no ambiente completamente pagão, onde muitos adoravam o imperador como se fosse deus, não os impedia de permanecer fiéis a seu único Senhor e Salvador, de anunciar as boas-novas a outros e de reanimar a igreja de Filipos com suas saudações. A eternidade revelará quão grandes bênçãos devem ter emanado das vidas daqueles que se dedicaram a Cristo no seio de ambientes tão mundanos![465]

Deus abre as portas, mas nós devemos entrar por elas. Deus aponta o caminho, mas nós devemos seguir por ele. Deus põe diante de nós oportunidades, mas nós devemos aproveitá-las.

NOTAS DO CAPÍTULO 12

[438] MARTIN, Ralph P. *Filipenses: Introdução e comentário*, 1985: p. 175.
[439] BRUCE, F. F. *Filipenses*, 1992: p. 158.
[440] BRUCE, F. F. *Filipenses*, 1992: p. 162.
[441] MARTIN, Ralph P. *Filipenses: Introdução e comentário*, 1985: p. 179.
[442] BARCLAY, William. *Filipenses, Colosenses, I y II Tesalonicenses*, 1973: p. 96.
[443] HENDRIKSEN, William. *Efésios e Filipenses*, 2005: p. 598.
[444] BARCLAY, William. *Filipenses, Colosenses, I y II Tesalonicenses*, 1973: p. 96.
[445] MARTIN, Ralph P. *Filipenses: Introdução e comentário*, 1985: p. 176.
[446] HENDRIKSEN, William. *Efésios e Filipenses*, 2005: p. 593.
[447] BRUCE, F. F. *Filipenses*, 1992: p. 161.
[448] BARTON, Bruce B. et all. *Life application Bible commentary on Philippians*, 1995: p. 122.
[449] BARCLAY, William. *Filipenses, Colosenses, I y II Tesalonicenses*, 1973: p. 94,95.
[450] MARTIN, Ralph P. *Filipenses: Introdução e comentário*, 1985: p. 177.
[451] BRUCE, F. F. *Filipenses*, 1992: p. 160.
[452] WIERSBE, Warren W. *Comentário bíblico expositivo.* Vol. 6, 2006: p. 127.
[453] MOULE, H. C. G. *Studies in Philippians*, 1977: p. 118.
[454] MOTYER, J. A. *The message of Philippians*, 1991: p. 220.
[455] BRUCE, F. F. *Filipenses*, 1992: p. 164.
[456] MARTIN, Ralph P. *Filipenses: Introdução e comentário*, 1985: p. 182.
[457] HENDRIKSEN, William. *Efésios e Filipenses*, 2005: p. 597.
[458] BRUCE, F. F. *Filipenses*, 1992: p. 165.
[459] MARTIN, Ralph P. *Filipenses: Introdução e comentário*, 1985: p. 182.
[460] DE BOOR, Werner. *Carta aos Efésios, Filipenses e Colossenses*, 2006: p. 268.
[461] WIERSBE, Warren W. *Comentário bíblico expositivo.* Vol. 6, 2006: p. 129.
[462] BARTON, Bruce B. et all. *Life application Bible commentary on Philippians*, 1995: p. 128.

[463] HENDRIKSEN, William. *Efésios e Filipenses*, 2005: p. 600.

[464] HENDRIKSEN, William. *Efésios e Filipenses*, 2005: p. 602.

[465] HENDRIKSEN, William. *Efésios e Filipenses*, 2005: p. 603.